FI SY' 'MA

Ym mlin anobaith fy mhla – llais sy'n dod,
llais yn dweud, 'Fi sy' 'ma';
yn fy nghur fe'm cysura
ac ofnau nos ysgafnha.

John Gwilym Jones

GARETH MAELOR

(llun gan Gerallt Llewelyn)

Fi sy' 'ma

GARETH MAELOR

GWASG Y BWTHYN

© Gwasg y Bwthyn 2008 ℗

ISBN 978-1-904845-72-0

Dymuna'r cyhoeddwyr
gydnabod cymorth
Adrannau Cyngor Llyfrau Cymru

Cyhoeddwyd ac argraffwyd gan
Wasg y Bwthyn, Caernarfon

CYNNWYS

DUW DRWY'R DATHLIADAU

Gŵyl Calan

Gŵyl y Pasg

Y Pentecost

Diolchgarwch

Gŵyl y Geni

GAIR O DDIOLCH

Dymuna'r teulu ddiolch i Wasg y Bwthyn am annog Gareth i lunio'r gyfrol hon fel dilyniant i *Helo, pwy sy' 'na?* ac am eu hymddiriedaeth ynddo. Diolch arbennig i'w ffrindiau John Elwyn Hughes am olygu'r gwaith ac i Geraint Lloyd Owen, golygydd y wasg, am gynorthwyo'r teulu wrth lywio'r gyfrol drwy'r broses gyhoeddi.

Diolch hefyd i'w gyfeillion fu mor barod i gyfansoddi englynion i gyd-fynd â rhai gweddïau, myfyrdodau ac anerchiadau.

Awgrymir hefyd ddarlleniadau Beiblaidd ac emynau lle bo'n briodol a daw'r emynau y cyfeirir atynt o *Caneuon Ffydd* (Llandysul, 2001).

Credai William Williams, Pantycelyn

> na fethodd gweddi daer erioed
> â chyrraedd hyd y nef.

Rhannai Gareth yr un argyhoeddiad. Dyma pam y cyflwynodd ei gyfrol gyntaf 'i bawb a wêl yn dda i gofio am eraill yn eu gweddïau'. Ei obaith oedd y byddai *Fi sy' 'ma*, fel y gyfrol gyntaf, yn ddefnyddiol mewn oedfa neu mewn defosiwn personol.

RHAGYMADRODD

Fel yr awgryma'r teitl, dilyniant i'r gyfrol *Helo, pwy sy' 'na?* yw *Fi sy' 'ma.* Canolbwynt y gyfrol gyntaf yw 'siarad' efo Duw. Ceir yn y gyfrol hon, hefyd, gasgliad o weddïau-ymgom, myfyrdodau, anerchiadau a dyfyniadau lle'r ymdrechodd i annerch, cyfarch, sgwrsio ac annog eraill i dynnu sgwrs gyda Duw. Cyhoeddwyd y gyfrol gyntaf yn y gobaith y byddai'r 'gweddïau' yn eu hamrywiol ffurfiau a gweddau o gymorth mewn 'oedfa gyhoeddus neu mewn defosiwn personol'. Felly, 'doedd dim yn rhoi mwy o bleser i'n tad dros y blynyddoedd na derbyn gair o werthfawrogiad ar y stryd neu mewn galwad ffôn neu lythyr fod un neu fwy o'r gweddïau wedi bod o werth personol i unigolion neu mewn eglwysi. Wrth bori drwy'r llythyrau hyn, gwelsom yn eu plith air gan ysgrifennydd Eglwys Pentowr, Abergwaun, chwe blynedd ar ôl cyhoeddi'r gyfrol, yn dweud fel hyn:

Mae prinder gweinidogion yn gofyn llawer mwy ohonom ni'r aelodau, ac mae derbyn llyfr fel hyn yn 'werth y byd'.

Gobeithiwn, fel teulu, y bydd y gyfrol hon, hefyd, yn cyrraedd yr un bwriad.

Ni lwyddodd i lwyr-orffen casglu'r gweddïau, y myfyrdodau, yr ymgomiau, yr anerchiadau a'r dyfyniadau sydd yn ei bregethau, ei ddyddiaduron a'i lyfrau lloffion personol. Arnom ni'r teulu y syrth unrhyw fai yn y modd y dewiswyd ac y cyweiniwyd hwy i'w cyflwyno yn eu ffurf derfynol. Ond 'roedd gennym ganllaw hawdd i'w ddilyn yn y dosbarthiad a luniodd ef ei hun, sef 'Duw Drwy'r Dydd', 'Duw Drwy'r Flwyddyn'; 'Duw Drwy'r Dathliadau', 'Duw Drwy'r Bendithion' a 'Duw Drwy Ffydd'.

Wrth gywain y deunydd ar gyfer y gyfrol, 'roeddem yn naturiol yn sgwrsio a hel atgofion. Fel plant mae sawl edefyn wedi pwytho'n magwraeth. Ond un edefyn heb os fu'r anogaeth i ni sgwrsio efo Duw fel 'tai'n aelod o'r teulu. Mae'r tair ohonom yn cofio'r 'siarad' hwn

11

wrth gymryd ein tro i fendithio cinio dydd Sul neu wrth ddweud ein pader yn uchel bob nos. Yn naturiol, fel plant, 'roedd y 'siarad' hwn weithiau'n troi'n siarad tynnu coes wrth i ni ddiolch am y pethau gwirionaf dan haul neu siarad-er-mwyn-plesio dro arall a siarad ffwrdd-â-hi neu siarad 'gwneud' grwgnachlyd dro wedyn. Ond 'rydym yn dal i drysori rhai gweddïau, y rhai hynny lle'r oedd mam neu dad yn eu dechrau a ninnau blant yn eu gorffen. 'Waeth beth oedd ein hoed na'n hamgylchiadau na'n diffyg ffydd, fe'n hanogwyd gan ein rhieni i siarad â Duw bob amser, boed mewn helbul, pryder, bodlonrwydd neu lawenydd. Byddai dad yn dweud nad oedd dim byd yn newydd yn eu hanogaeth gan mai'r un anogaeth a roes Paul yn ei lythyr at y Colosiaid: 'Parhewch i weddïo yn ddyfal, yn effro ac yn ddiolchgar' ac eto yn ei lythyr at y Thesaloniaid: 'Gweddïwch yn ddi-baid'.

Oedd, 'roedd dad yn gredwr mawr mewn gweddi; ymdrechai i weddïo 'yn ddi-baid', ac yn yr ysbryd hwnnw y dymunwn gyflwyno'r gyfrol *Fi sy' 'ma* ar ei ran.

Myfyrdod agoriadol

FI SY' 'MA

Arglwydd, 'chlywais i mohonot yn llefaru er 'mod i'n gwybod o'r gora' y medri Di siarad â phawb heb ddweud gair.

Clywed distawrwydd wnaeth Elias y proffwyd ond mi fyddai'n braf weithia' cael clywed 'un o eiriau pur y nef'.

Be' ddwedaist ti, Arglwydd?

Ai deud mai mater o diwnio'r ysbryd i'r un donfedd â Thi ydi'r gyfrinach? Ac os am dy glywed yn dweud, 'Fi sy' 'ma', ydi hi'n hawdd tiwnio'r ysbryd yn rhywle?

Ydi, siŵr, mae awyrgylch eglwys hynafol yr union beth i ni ei berthnasu â Thi.

Ond 'dydi hi ddim mor hawdd yng nghanol dwndwr dinas a sŵn cerbydau'n llenwi'n clustiau a phrysurdeb mynd-a-dod pobl.

Mae'r un mor anodd dy glywed di drwy ganu croch grwpiau mewn clybiau nos a chwerthin a chlebar tafarn.

Yn yr un modd, 'dydi hi ddim mor rhwydd i wraig y tŷ dy glywed yn deud 'Fi sy' 'ma' a hitha mor brysur yn dilyn ei gorchwylion a gofalu am ofynion pob aelod o'i theulu.

Gallwn, Arglwydd, fe allwn ni gael eiliad neu ddau yng nghanol y sŵn mwyaf aflafar. Cynorthwya ni, os gweli di'n dda, i droi'n glustfyddar i'r holl synau, ac yn nistawrwydd y fellten-eiliad honno gad i ni glywed 'Fi sy' 'ma'.

Diolch i Ti, Arglwydd, dy fod i'th glywed ar unrhyw amser ac mewn unrhyw fan.

Biti na fyddem ni'r un fath,

> Yn wastad gyda Thi
> ac ynot ymhob man

a'r geiriau 'Fi sy' 'ma' yn croesi ein meddyliau'n amlach.
Gwnawn hynny y funud hon, lle bynnag yr ydym ni,
boed mewn addoliad yn dy Dŷ Di yn dweud gyda'n gilydd
'Fi sy' 'ma' neu gartre yn ein tai ein hunain yn sibrwd y peth olaf cyn mynd i gysgu, 'Fi sy' 'ma'.

Gwyddom dy fod yn llefaru mewn llawer dull a modd, ond mae 'na ryw agosrwydd cynnes yn y tri gair bach 'Fi sy' 'ma'. Maen nhw mor bersonol – yn union fel tad yn siarad â'i blentyn a phlentyn â'i rieni.

Arglwydd, diolch i Ti am ddull mor syml o'th glywed ac o'th gyfarch.

Fi sy' 'ma.

Amen.

Darlleniad: Salm 121: 1-8
Emyn: 672

Duw drwy'r dydd

GWNEUD CYMWYNAS

At druan mewn tir anial y deui
yn dawel dy ofal
i roi dafn, ie, dafn di-dâl
â gras mewn cwpan grisial.
J. Gwilym Jones

'Y mae gofyn cymwynas bob amser yn gymaint cymwynas ag ydi gwneud un' – y diweddar Barchedig W. O. Roberts.

Arglwydd, 'doedd gan dy Fab ddim cywilydd i fynd ar ofyn unrhyw un nac yn gweld undim o'i le ar hynny.

Ai Pedr oedd piau'r cwch pysgota hwnnw pan fu i Iesu ei droi'n bulpud dros dro i lefaru ar ddamhegion wrth y dyrfa a oedd ar y lan?

Pwy oedd perchennog yr ebol asyn a gariodd Iesu i Jerwsalem? Pwy bynnag ydoedd, mae'n siŵr iddo ddiolch drosodd a throsodd am i Iesu ofyn cymwynas ganddo. O y fath fraint a gafodd!

Tybed ai goruwch-ystafell yn nhŷ mam Ioan Marc oedd man cyfarfod y Swper Olaf?

Ar adeg porthi'r miloedd, aeth Iesu ar ofyn Philip a gofyn iddo: 'Ble y gallwn ni brynu bara i'r rhain gael bwyta?'

A chyflwynodd Andreas fachgennyn iddo. Diwrnod i'w gofio am byth oedd hwnnw i'r bachgennyn pan roddodd ei bum torth haidd a'i ddau bysgodyn i Iesu.

Dro ar ôl tro, bu gofyn am ei wasanaeth ac yntau'n ei roi heb edliw.

Wnaeth o ddim oedi rhag ymateb i gais Jairus – 'Yr Iesu a aeth ymaith gydag ef'. Ni allai aros eiliad a merch fach Jairus ar fin marw.

Nid oedd wahaniaeth gan dy Fab, Arglwydd, fod y dyrfa'n grwgnach pan arddelodd Sacheus a mynd i aros yn nhŷ'r un a fradychodd ei genedl er mwyn casglu trethi i'r gelyn o bawb. Gwnaeth ddyn newydd sbon ohono.

'Roedd gofyn cymwynas yn gymaint cymwynas â gwneud un iddo. Mae rhestr ei gymwynasau mor hir. Dyna i chi Bartimeus, y cardotyn dall. Nid anwybyddodd Iesu mo'i gri. A'r gwahangleifion a'r claf o'r parlys – nid anwybyddwyd mo'u cri hwythau ychwaith.

Arglwydd, 'O na bawn yn fwy tebyg i Iesu Grist yn byw'. Dim mwy o hel esgusion neu ddweud: 'Mi alwa i draw pan mae hi'n gyfleus' neu 'Mi ddo i draw eto, mae'r amser mor brin ar hyn o bryd'.

Hwyrach ein bod wedi colli ein cyfle rywdro drwy wrthod ymateb i gais i wneud cymwynas a thrwy hynny golli'r wefr a'r boddhad o wybod ein bod o werth i eraill.

Tydi, y Cymwynaswr Mawr ei hun, rhoddaist inni'r esiampl drwy ein caru er ein gwaethaf.

Maddau ein beiau am farw yn ein lle.

'O na bawn yn fwy tebyg'.

Amen.

Darlleniad: Luc 9: 12-17; Luc 11: 10-13
Emyn: 721

NI A NHW

Daw cur drwy wahanfuriau – 'ni' a 'nhw',
　Ryw hen oes o frwydrau;
　O dyro, Grist, dy eiriau
　A rhyw ddydd daw uno'r ddau.

Machraeth

Pwy ydyn 'nhw', Arglwydd? Pwy ydym 'ni' – y 'ni' a'r 'nhw'?
Pe baem 'ni' yn 'nhw', 'nhw' fyddem ni.
Arglwydd, gwna pawb yn 'ni' a neb yn 'nhw.'
Un ydym yn Iesu Grist – Iddew a Mwslim; y sawl sy'n gaeth a rhydd;
gwryw a benyw. Ond mae 'ni' a 'nhw' o hyd yn Gasa a Jeriwsalem;
Cymru a Lloegr; Irác ac America. O na ddeuem ynghyd, Iddew ac
Arab, Cymro a Sais, Pabydd a Phrotestant, Mwslem ac Ianc.

Un ydym drwy'r ddaear faith. Hwyrach ein bod ni'n wahanol,
Arglwydd. Hwyrach ein bod ni fel sofran a swllt ond bathiad dy
arian breiniol Di yw'r naill a'r llall,

　　A Christ yn gadwyn aur
　　Sy'n cydio pawb trwy ffydd

fel na bo mwyach na 'ni' na 'nhw.'

Perthyn iddyn 'nhw' yr oedd Sacheus a defaid duon eraill y
gymdeithas Iddewig. Y 'ni' oedd y Phariseaid dauwynebog.
Ni fentrai'r rhain yn agos atyn 'nhw' heb sôn am aros yn eu tai gyda
hwy. Arhosodd Iesu yn nhŷ Sacheus a bwyta'i fwyd. 'Roedd yntau
wedyn yn un ohonyn 'nhw' ac yn wrthodedig gan y 'ni'. Bendithiodd
Iesu Sacheus y dydd y dringodd y sycamorwydden oherwydd mab
i Abraham oedd yntau hefyd a mab i Ti, O! Dduw.

Arglwydd, a feiddiwn heddiw rannu tŷ, yr un llestr, yr un cwpan, yr
un tywel ag un sy'n HIV positif? A fentrwn gydag Iesu at yr un â'r
nodwydd yn ei fraich?

Nid oes yng Nghrist na du na gwyn, caeth na rhydd. 'Does neb y tu draw i'th gariad Di ac ynot Ti y down ynghyd.

Amen.

Darlleniad: Luc 19: 1-10
Emynau: 626, 805, 807

WAL Y WYLOFAIN

Nid oes yn holl Jerwsalem
unman mwy cysegredig i'r Iddew
na'r mur hwn.
Deil fortar eu gweddïau faen wrth faen
i adeiladu gobaith yfory'r genedl.
Heddiw, yng ngodre'r gogoniant a fu,
siglant y gobaith hwnnw i rythmau'r paderau –
paderau papur yn rhigolau'r cerrig
fel colomennod gwyn yn disgwyl
anadl y Meseia dan eu hadenydd.
Ofer cyhoeddi i'r Iddew pybyr
i'r ysbryd ddisgyn eisoes
megis colomen ar ysgwydd y Meseia,
ac mai mortar ei gariad ef
all ddal y cerrig ynghyd.

Cyn gweled eto yn ninas Dafydd
deml hardd yn gyflawn ar y graig
rhaid asio rhwyg y teulu,
a dod o ddisgynyddion Ishmael ac Isaac
i ymgofleidio ger y mur.

Emyn: 264

PLANT DUW

Pa raid didol dynolryw? – Wele'r gwael
A'r gwych sy'n ddau gyfryw;
Drwy ei fyd un dorf ydyw
A luniwyd oll ar lun Duw.

John Gwilym Jones

Arglwydd, fe'n lluniaist yn wryw a benyw ar dy lun, fe'n creaist yn bobl ar dy lun, yn blant i Ti. Pobl nid gwehilion oedd y gwrthodedig rai i Iesu Grist; pobl i'w ceisio, eu caru a'u derbyn oll yn Eiddo i Ti, Arglwydd.

Nid cardotyn ydoedd Bartimeus ond un oedd eisiau gweld golau dydd.

Nid twyllwr 'chwaith oedd Sacheus, y casglwr trethi hy, ond mab i Abraham, megis Iesu ei hun.

Nid putain ydoedd Magdalen i bawb, cans gwelodd Un ynddi ferch a chwenychai lanhad yn fwy na dyn.

Nid gwahanglwyf 'chwaith a ddaeth ato Ef, ond gŵr yn friwiau heintus drosto'i gyd yn ysu am gael ei gyfrif a'i dderbyn yng ngolwg dyn.

Estynnodd Iesu ei law i'r cardotyn a'r twyllwr a'r butain a'r gwahanglwyf, a'u cyffwrdd i gyd. Trwy lygaid Iesu mae'r gwrthodedigion oll yn blant i Ti, Ein Tad. Yn blant di-label.

Maddau i ni, Arglwydd, am labelu pobl fel hyn ac fel arall. 'Rydym ni i gyd yn feius am osod label ein llygaid ein hunain ar wleidydd a phrif weinidog; ar bregethwr ac archesgob; ar *celebrities* a'r teulu brenhinol. Mae gennym ein *'drugies'* a'n *'hoodies'* ein *'wasters'* a'n *'iobs'*, ein hoywon a'n hipis, a'n *hells angels* a'n *gangs*. Mae hwn yn llwfrgi a'r llall yn gybudd; mae hi'n fam sengl a hwytha'n ddosbarth canol. Mae hwn yn 'bry 'di codi oddi ar y doman' a hi'n 'snob o'r stad *posh* 'na yn fan'na.'

O berson i berson, o ris i ris, o ddosbarth i ddosbarth, o genedl i genedl, fe labelwn y naill a'r llall. Labelwn bawb a labelir ninnau ganddynt hwythau.

Heb label arnom, mae pawb yr un fath, yn bechaduriaid ein dydd, sydd angen dy faddeuant Di. Arglwydd, fe'n creaist yn bobl ar dy lun. Dyro dy gariad i'n clymu, un ac oll, yn blant i Ti.

Amen.

Darlleniad: Marc 1: 40-42; Luc 15: 1-7
Emynau: 871, 626, 232

AELWYD DUW

O fewn i'r hen Drigfannau – erys Tad
er ystalm â'i freichiau
yn annog pawb fel ninnau
i'r Wledd o Hedd sy'n boddhau.

Einion Evans

Ein Tad, diolchwn mai Duw'r Tad wyt Ti ac wrth law o hyd. Am hynny medrwn groesi rhiniog dy aelwyd ar unrhyw amser o'r dydd. 'Rwyt ti'n wahanol iawn i ni sy'n crwydro yma a thraw a heb fod ar gael pan wyt Ti'n galw heibio i ni. 'Rwyt ti bob amser adref ar dy aelwyd ysbrydol sy'n cwmpasu'r holl fyd, yn ymestyn o'r presennol i'r tragwyddol. Aelwyd â'i drws byth ar glo. 'Does dim rhaid i ni guro'r drws hyd yn oed cyn camu dros y trothwy. Mae'n agored led y pen ac ni ddichon neb ei gau.

Fel rhieni, 'does undim yn ein plesio'n fwy na chael ein plant o'n cwmpas. Ac felly Tithau, 'rwyt wrth dy fodd yn gweld dy deulu'n dod ynghyd. Pawb ohonom, o bob lliw a llun, o'th gylch yn un teulu mawr cytûn a'th aelwyd yn amgylchynu gwledydd y ddaear i gyd. Am hynny, fe wyddom o'r gorau mai troi am adref 'a nesáu at Dduw sy'n dda i ni'.

Diolch i Ti, ein Tad, nad oes wahaniaeth gen ti pryd y down atat. Mae gen ti groeso breichiau agored yn ein haros ac 'rwyt yn ein disgwyl unrhyw adeg o'r dydd neu'r nos. 'Dwyt Ti ddim yn cysgu nac yn hepian.

Diolch i Ti, ein Tad, nad oes wahaniaeth gen Ti beth yw'r amgylchiadau sy'n ein tynnu dros dy drothwy. Os tywydd garw sy'n gwneud i ni chwilio am loches, mae gwres ar yr aelwyd a chroeso cynnes yn ein disgwyl. Os bywyd yn troi'n chwerw sy'n gwneud i ni droi am adref, wnei Di mo'n gwrthod. Boed haf neu aeaf, storm neu hindda, 'rwyt Ti ar gael i'th blant.

Felly, ein Tad, deuwn atat, yn blant o bob cenedl:

- yn frodyr yn Darfur;
- yn chwiorydd yn Irác;
- yn berthnasau yn Gasa a'r India a'r Dwyrain Pell.

Teulu mawr dynoliaeth yw dy deulu Di. Gwyddost fod pawb o'r un cyff, o'r un ach, o'r un gwaed. Gwna i ni deimlo bod gwaed yn dewach na dŵr. Gwyddom i gyd, o dderbyn croeso dy aelwyd Di, a throi am adre a'th dderbyn fel ein Tad Nefol, ei bod yn bosibl wedyn i ni arddel ein gilydd yn frodyr a chwiorydd. Pwy bynnag ydym ni, beth bynnag fo'n hiaith a'n hil, 'rwyt ti 'wrth law o hyd i wrando cri' ar dy aelwyd nefol.

Amen.

Darlleniad: Galatiaid 3: 26-28; Effesiaid 2: 14-22; Effesiaid 4: 1-6
Emynau: 241, 415, 807

MAWL I DDUW

SALM

Yno o'i mewn y mae enaid – yn gweld
Trwy gôr y seraffiaid,
A chân ei ffydd rydd o raid
I degwch mor fendigaid.

John Gwilym Jones

'Yr Arglwydd yw fy mugail, ni bydd eisiau arnaf. Gwna imi orwedd mewn porfeydd breision, a thywys fi gerllaw dyfroedd tawel . . . Er imi gerdded trwy ddyffryn tywyll du, nid ofnaf unrhyw niwed, oherwydd yr wyt ti gyda mi.'

Ia, Arglwydd dyma rai o eiriau'r drydedd salm ar hugain, salm Dafydd, salm y bugail a'r fwyaf adnabyddus o'r salmau i gyd. Mae'r salm gyntaf yn dechrau gyda'r geiriau 'Gwyn fyd yr un sy'n dy ddilyn di', a'r olaf yn cloi gyda'r geiriau 'Molwch yr Arglwydd'. Wedi'r cwbl, dyna ystyr y gair 'salm' yn yr Hebraeg – 'clod' neu 'fawl'.

'Arglwydd, ein Iôr, mor ardderchog yw dy enw ar yr holl ddaear', medd yr wythfed Salm. 'Arglwydd yw fy ngoleuni a'm gwaredig-aeth, rhag pwy yr ofnaf', medd un arall. A beth am y salm sy'n dweud 'Rhowch i'r Arglwydd ogoniant ei enw?' Dyma eiriau llawn clod yn dy ganmol Di ac yn fawl i gyd.

Ond beth am y lleill, Arglwydd? Y rhai sy'n cwyno yn lle canmol a'r salmydd yn ei folicodlo'i hun yn lle moli Duw – salm wyth deg chwech sy'n dweud 'Tro dy glust ataf, ac ateb fi, oherwydd tlawd ac anghenus ydwyf', neu'r ail salm ar hugain, 'Fy Nuw, Fy Nuw, pam yr wyt Ti wedi fy ngadael ac yn cadw draw rhag fy ngwaredu, ac oddi wrth eiriau fy ngriddfan?'

Ond, yn rhyfedd iawn, wrth farw ar y groes, nid 'Fy Arglwydd yw Fy mugail' a ddywedodd Iesu Grist ond, yn hytrach, 'Fy Nuw, Fy Nuw pam yr wyt wedi fy ngadael?'. Ymhen ugain canrif wedyn cawn

Terry Waite yn dweud yr un geiriau yn ei garchar unig yn Beirut. Ond yn yr unigrwydd hwnnw, fe deimlodd wedyn dy agosrwydd Di. Wrth deimlo dy fod Ti ymhell y medrodd agosáu atat a'i gael ei hun yn dy gesail gynnes ddwyfol di. Os dywedodd dy fab, 'Pam yr wyt wedi fy ngadael?', y funud nesaf fe ddywedodd 'I'th ddwylo Di yr wyf yn cyflwyno fy ysbryd'.

Wnest Ti erioed anwybyddu cri'r enaid gofidus, wnest Ti erioed droi'n glustfyddar, boed yn unigrwydd y groes, carchar Beirut neu yng ngharchar personol ein hunigrwydd ninnau. Yng ngeiriau'r salmydd, 'Da yw i mi agosáu at Dduw', 'Nesáu at Dduw sy'n dda i mi.'

Diolch i ti am bob salm, yr hen a'r modern – salm y Beibl i nesáu at Dduw sydd dda i mi, neu salm byd pêl-droed Lerpwl, 'Wnei di fyth gerdded ar dy ben dy hun'. Ar hyd yr oesoedd, bu'r salm yn falm i'r enaid blin ger afonydd Babilon neu gaeau cotwm Alabama a'r caethwas yn ei alltudiaeth a'i boen yn canu ei salmau arbennig ei hun. Caethwas yn siglo i swae y 'Kwm-bay-ah, Arglwydd' ac yn ysgwyd a chrynu fel deilen wrth ganu ei 'hâ-a-leliwia' a'i fawl iti.

Diolch i Ti, felly, am Lyfr y Salmau, llyfr emynau'r deml gynt. Y Deml a chwalwyd a'i dymchwel garreg wrth garreg heb adael ond un mur ar ôl – y wal wylofus. Mae'r salmau a fu'n atseinio o furiau dy dŷ wedi goroesi'r deml honno, a thrwyddynt mynegwn ninnau dy glod heddiw –

> 'Yr Arglwydd yw fy mugail'
> 'Mor ardderchog yw dy enw'
> 'Fy enaid bendithia'r Arglwydd'
> 'Molwch yr Arglwydd'
> 'Mawl sy'n ddyledus i ti, O Dduw'
> 'Canwch i'r Arglwydd gân newydd.'

Amen.

Darlleniad: Salm 8
Emyn: 200

PAM?

Ein Tad, 'Ti'n gwybod am dueddiad plant bychain i holi'n ddi-baid a gofyn 'Pam hyn?', 'Pam arall', ac ati. Wedi ateb un *pam*, daw *pam* newydd sbon i'w ddilyn yn syth. On'd oes 'na ysfa oesol ynom i gyd, yn blant ac yn oedolion, i holi *pam*.

Yn nechrau'r dechreuad, gofynnwyd pam y gwnest drefn o'r hyn oedd yn afluniaidd a gwag. Mae'r plentyn cyntefig ynom o hyd a daliwn i holi *pam*. Pam mae'r eira'n wyn?

> 'Pam, Arglwydd y gwnaethost Gwm Pennant mor dlws,
> A bywyd hen fugail mor fyr?'

Sawl un a ofynnodd fel y Salmydd: 'Pam y rhodiaf mewn galar?', 'Pam 'rwyt yn atal dy law?' Mae'r gorau ohonom yn gofyn pam, Arglwydd. Yn unigrwydd y groes, gofynnodd Iesu, 'Pam y'm gadewaist?' Yn wyneb salwch mawr, mae'n naturiol i ni ofyn, 'Pam fi?' Yn wyneb siom, mae'n naturiol i ni ofyn, 'Pam fi?' Yn wyneb galar, mae'n naturiol i ni ofyn, 'Pam fi?' Mewn penbleth a phryder, digalondid a gwylltineb, fel plant trown atat, ein Tad, i ofyn, 'O Dad, pam fi?'

'Pam nad myfi?' atebaist. Ein Tad, fel plant y deuwn atat i afael yn dy law. Ni wyddom pam nyni – am hynny cymer ni i'th freichiau lle gorwedd pob ateb.

Amen.

Darlleniad: Salm 42
Emyn: 758

BUSNES PWY?

Yn wyneb holl ddrygioni – hyn o fyd,
Yn ei fawr gamwri
A'i drallod, rhaid yw codi
Ein llais yn erbyn y lli.

Geraint Lloyd Owen

Arglwydd, mae'n siŵr dy fod wedi diflasu clywed yr un hen gân fel tiwn gron o un ganrif i'r llall. Mae'r gwleidyddion wrthi erioed ac yn dal ati o hyd. Maen nhw'n dweud yn blwmp ac yn blaen y dylem ni feindio ein busnes ein hunain. Mae gennym ni ddigon i'w wneud heb ymyrryd â hwy. Ein gwaith ni fel eglwys, medden nhw, yw bedyddio, priodi, claddu, ymweld â'r cleifion a phregethu'n saff heb yngan y gair 'gwleidyddiaeth'.

'Rwyt Ti'n cofio Arglwydd, siŵr o fod, mai dyna beth ddywedodd Ahab a'i frenhines wrth Elias, dy broffwyd cyntaf – petai Ahab wedi bod rywfaint callach o ddweud hynny.

A Jeremia wedyn, fe'i cafodd yntau hi nes oedd o'n plygu am roi ei fys ym mrywes llywodraethau ei ddydd. Fe'i taflwyd i garchar am iddo wrthod distewi.

Mae ceisio ffrwyno proffwyd 'run fath yn union â cheisio dy ddistewi Di, Arglwydd. Wedi'r cwbl dy enau Di ydi pob rhyw Eseia. Fe ddwedodd pob un, 'Fel hyn y dywed yr Arglwydd'.

Dyna beth a ddywedodd y proffwyd croenddu yn Alabama cyn cael ei saethu a'i lofruddio, ac mae'n dal i siarad y tu hwnt i'r bedd. A methodd llywodraeth fileinig pobl wyn De Affrig ddistewi Desmond Tutu.

Diolch am dy broffwydi, bach a mawr, ac ambell Archesgob yn eu plith.

Arglwydd, cynorthwya nhw i gamu'n ôl i syllu ar sefyllfa gwlad a byd o'th safbwynt Di. Cynorthwya hwy i edrych drwy dy lygaid Di a llefara trwy eu genau hwy.

Ni all unrhyw broffwyd aros yn fud.
Ni all unrhyw wleidydd 'chwaith atal dy eiriau Di.
Bûm newynog, sychedig, carpiog a noeth – mae'r neges yn ddigon plaen.
Mae angen a thlodi bob amser yn fusnes i Ti ac yn fusnes dy eglwys
a'th bobl.

Diolch am eglwys sy'n fusnes i gyd ac yn poeni am anghyfiawnder
byd.

Llefara, Arglwydd, a gweithreda drwy enau'r eglwys.

Amen.

Darlleniad: Mathew 25: 31 – 46 ac yna i ddilyn Effesiaid 6: 12-15
Emynau: 839, 813

HAWL I DDEWIS

O'n dewis at Dduw deuwn, – neu'i adael;
   Ond wedyn pan welwn
   Bris ein rhyddid fe wridwn,
   Cans pris diddewis oedd hwn.

John Gwilym Jones

Ein Tad, oni bai fod gennym ryddid ewyllys ac i Ti ein creu ni yn y fath fodd fel y medrwn ddweud 'ie' neu 'na', fe dybiem dy fod yn unben styfnig sydd eisiau dy ffordd dy hun. Mae'r deg gorchymyn yn swnio felly ond a fu i Moses ei hun gadw at bob un ohonynt?

Mi fedrwn wrthod neu dderbyn fel ei gilydd. Mae lladd, tor-priodas, dwyn a'r diffyg parch heddiw yn dangos hynny'n ddigon clir. Ceir adegau pan fyddai'n well hwyrach petaet yn gorfodi pobl i wneud yr hyn neu'r arall. Wrth weld y newyddion ar y teledu yn dangos pryfed yn pesgi ar friwiau agored plentyn bach o'r Trydydd Byd, fe fyddai'n dda gen i pe baet yn troi braich sawl llywodraeth a banciau benthyg barus y gwledydd cyfoethog.

Pan oeddwn i'n blentyn, ai o barch at fy rhieni yr oeddwn i'n ufuddhau iddynt ynteu cael fy ngorfodi yr oeddwn i? Neu ynteu dipyn o'r ddau hwyrach? Pan ydw i'n cadw at ddeddfau gwlad, ai er mantais i mi fy hun y gwnaf hynny, ynteu o barch at rywun arall?

Ein Tad, nid unben penderfynol mohonot neu fe fyddet wedi gorfodi dy fab dy hun i blygu i'th ewyllys. Dewis marw trosom ni a wnaeth, nid cael ei orfodi. Gallai fod wedi gwrthod ond diolch byth nad dyna a wnaeth.

Diolch byth fod gennym yr hawl i ddewis. Byddai'n ddiflas, a bywyd yn fwrn, petai pawb yn byped yn hongian ar linyn neu'n robot mecanyddol. Ond pe baem yn bypedau'n ufuddhau i blyciadau dy fysedd di, byddai diwedd wedyn ar ryfel, newyn, lladrata, fandaliaeth ac anghyfiawnder. Ond 'rwyt wedi creu'r weithred o ddewis er mwyn rhoi cyfle i ni weithredu'n ddoeth. Ni'r meidrol sy'n dewis peidio â thosturio, trugarhau, maddau a charu. Weithiau, 'rydym yn ddi-hid, ac yn dewis cysgu. Dro arall, 'does gennym mo'r cryfder i wneud y dewis iawn.

Diolch am ein harfogi gyda'r weithred o allu dewis mewn bywyd. Arglwydd da, diolch mai dy blant ydym ni ac nid caethweision, ac fel plant rydym yn diolch am y rhyddid i ufuddhau i'th ewyllys di, ein Tad.

Amen.

Darlleniad: Mathew 26: 36-46
Emynau: 835, 303

AROS A DISGWYL

A ni'n ddynion aflonydd – a'n hawydd
am gynhaeaf beunydd,
y dasg ydyw hau bob dydd,
ac yna Duw ry' gynnydd.

Einion Evans

Ein Tad nefol, wyt ti weithiau, fel tadau daearol, yn fyr dy amynedd?
Yn ôl y Beibl, "rwyt yn hwyrfrydig i lid a mawr dy
drugarowgrwydd'. Ond mae geiriau fel yna'n ddieithr i'n hoes ni.
Diolch nad wyt Ti ddim yn pwdu ac yn colli dy limpyn hefo ni. Mi
fyddai'n hawdd iawn i Ti wneud hynny gan ein bod mor
gwynfanllyd ac yn grwgnach byth a beunydd. Grwgnach nad ydi
pethau'n disgyn yn syth i'w lle neu nad yw pethau ddim yn digwydd
ar unwaith.

Yn wahanol i Ti, 'rydym yn cael trafferth i aros yn amyneddgar ac
ymlonyddu a disgwyl. Mae disgwyl yn her anodd ei chyflawni ar
brydiau i ni. Mae hi'n oes brysur, pawb ar frys, ar fynd o hyd. 'Rydym
yn heidio i bob cyfeiriad heb gyrraedd unlle. Yn trio'i dal hi fan hyn
a'i dal hi fan arall heb ddal dim yn y diwedd. Ac mae anniddigrwydd
ac anfodlonrwydd sy'n dod o fethu cyrraedd rhywle a methu dal
rhywbeth mewn pryd yn gwneud bywyd yn ddiflas. Pam,
Arglwydd?

Ganrif yn ôl, 'roedd ein teidiau a'n neiniau yn cael eu magu rhwng
dau ddiwygiad. Ai dyna sydd ei angen arnom? Wedi hynny, cafodd
ein rhieni eu magu rhwng y ddau ryfel byd. Mae cenhedlaeth arall
wedi'i magu rhwng dwy ganrif. Pobl dau begwn, rhwng dau fyd,
dau fod.

Ai effaith hyn sydd arnom ni, eu plant a phlant eu plant? Y tu cefn i
ni y mae bore oes faterol ac o'n blaen y mae ansicrwydd ac anobaith.
Ai dyna pam 'rydym mor brysur, Arglwydd? Ar fynd o hyd wrth
geisio osgoi hyn a chlirio'r llall gan droi mewn cylch yn ddigyfeiriad.

Ein Tad, arafa ni a dysga ni i aros yn amyneddgar. Arhosodd y disgyblion yng nghwmni Iesu Grist i gael eu dysgu a'u paratoi ganddo cyn mentro i ledaenu dy deyrnas ar eu liwt eu hunain. Ac yn hanes yr hen genedl gynt 'roedd yna anialwch go fawr rhwng yr Aifft a Gwlad yr Addewid a'r hen genedl yn aflonyddu ac yn methu disgwyl cyrraedd pen eu taith.

Yn anialwch ansicrwydd a seciwlar ein hoes, cynorthwya ni i aros yn amyneddgar a chymryd ein llawenydd gennyt Ti fel y medrwn aredig yr anialwch, hau'r had a'i ddyfrhau â dagrau llawenydd ein gobaith.

Gwna i ni aros yn ddisgwylgar:

O am aros yn dy gwmni;
Aros yn dy gariad ddyddiau'n hoes.

Amen.

Darlleniad: Ioan 15: 7-17
Emyn: 319

DAU NEU DRI

Ein Tad, diolch nad yw rhif a maint yn dy boeni di. Rhaid cyfaddef bod nifer a maint yn bwysig iawn i ni. Byddai gweld y tŷ'n llawn a than ei sang yn wefr, yn orfoledd ac yn sbardun i'r enaid. Maddau i ni am ddweud yn aml ac yn ddifeddwl, 'lle bynnag y mae dau neu dri wedi dod ynghyd yn dy enw, yr wyt Ti yno yn y canol'.

Oes rhywbeth o'i le i ni ganmol y praidd bychan ac, ar yr un pryd, chwenychu diadell fawr, niferus? Ydi'r naill yn arwain at y llall, tybed? Ydi'r llawer yn dibynnu ar yr ychydig, Arglwydd?

'Does dim dwywaith na fu i'th fab, Iesu Grist, roi Ei ffydd yn y praidd bychan a chredu mewn coflaid fach wedi ei gwasgu'n dynn. Wedi'r cwbl, fe grwydrodd Galilea i ledaenu daioni gyda deuddeg disgybl yn unig. Dyrnaid o ddilynwyr yn hyrwyddo'i deyrnas a herio'r byd.

Pwy ond ef a fedrai borthi pum mil hefo pum torth haidd. Byddai'n braf cael y profiad o weld niferoedd mawr heddiw yn cael eu bwydo'n ysbrydol a ninnau'n cael y fraint o gasglu'r briwsion. Atgoffa ni o werth yr ychydig ar gyfer y llawer.

Gwyddai Iesu fod pinsiad o halen yn ddigon i flasu bwyd a chodi syched. Gwyddai am ddylanwad mymryn o furum yn y blawd. Ef yn unig fuasai'n cymharu twf ei deyrnas i hedyn mwstard, y lleiaf o'r holl hadau a fyddai'n tyfu'n goeden fel y deuai adar yr holl genhedloedd i nythu yn ei changhennau.

O ymddiried yn llwyr ynot, gwyddom na ellir atal twf dy deyrnas Di. Yn hwyr neu'n hwyrach fe ddaw cynhaeaf. Arglwydd, cryfha ein ffydd yn yr ychydig a boed hynny'n ddigon cyn belled ag y byddi Di yn ein plith .

> Ymddisgleiria yn y canol,
> Gwêl dy bobl yma 'nghyd,
> Yn hiraethu, addfwyn Iesu,
> Am gael gweld dy ŵyneb-pryd.

Er mwyn tyrfaoedd yfory, bendithia'r ddau neu dri heddiw.
Yn enw Iesu Grist.

Amen.

Darlleniad: Mathew 13 : 31 – 33
Emynau: 587, 184

YR HELFA SYDD I DDOD

Arglwydd, mae angen rhyw hwb i'r ysbryd y dyddiau hyn. Gobeithio dy fod yn deall pam y teimlwn hi'n anodd cadw'r drws yn agored o Sul i Sul. Yr un rhai sy'n cario'r cyfrifoldeb ac yn 'sgwyddo'r baich, ac mae'n hawdd torri calon, Arglwydd. 'Roedd Iesu Grist yn gallu tynnu'r tyrfaoedd i wrando arno'n sôn am dy deyrnas Di. Heddiw, mae pum dwsin yn gynulleidfa sylweddol heb sôn am bum mil.

Waeth i ni gyfadda, 'rydym ninna' hefyd fel Pedr yn taflu rhwyd ac yn llafurio heb ddal dim. Ydi, Arglwydd, mae cael rhwyd neu gawell wag o hyd ac o hyd yn gallu sigo'r ysbryd a lladd brwdfrydedd. Ganrif yn ôl 'roedd rhwydau ein tadau yn o lawn. Fel arall ydi'n hanes ni. Mae'n anodd mentro 'mlaen gyda'n methiannau, Arglwydd. Ond a oes rhaid i ni? Pam bwrw'r rhwyd i'r ochr dde i'r llong? Ai dweud yr wyt Ti y gwelir o'r lan yr hyn na welir o'r cwch, ac mai ond lled llong sydd rhwng methiant a llwyddiant? Os felly, cariwn ymlaen heb dorri calon.

Os eraill fydd yfory yn gwthio i'r dwfn ac yn bwrw rhwyd, medrwn ni heddiw o leiaf ofalu fod y cwch yn dal dŵr a medrwn olchi a chyweirio'r rhwydau ymlaen llaw ar eu cyfer.

Diolch i Ti am y cyfle i baratoi'r ffordd gogyfer â helfa'r llwyth pysgod. Diolch am y sicrwydd y caiff rhywrai ryw ddydd y dasg o lusgo'r rhwyd yn llawn i'r lan a gweld Iesu yno ar y traeth yn eu disgwyl a'u hannog.

Gyda Thi, awn ymlaen a chefnu ar y methiannau a fu, gan wybod yn hwyr neu'n hwyrach y daw llwyddiant eto i ran pysgotwyr dynion. Diolch i Ti am sicrwydd y llwyddiant sydd i ddod trwy Iesu Grist.

Amen.

Darlleniad: Ioan 21:1-6
Emynau: 38, 792

GOLCHI TRAED Y DISGYBLION

Ein Tad, diolch i Ti am anfon dy Fab i'n byd i'n gwasanaethu.

'Y gair yn dod yn gnawd a phreswylio yn ein plith. Daeth popeth i fod trwyddo ef', felly 'roedd yn haeddu cael ei wasanaethu, ond nid felly y bu:

- daeth i'n plith i roi ac nid i dderbyn;
- i gynnig ac nid i gael;
- i rannu ac nid i gymryd.

'Cymerodd ffurf caethwas a dyfod ar wedd dynion. O'i gael ar ddull dyn, fe'i darostyngodd ei hun'.

Pa feistr a gymerai agwedd gwas?
Pa athro a eisteddai wrth draed ei ddisgyblion?
Pa frenin a benliniai o flaen ei ddeiliaid?

Yn dy deyrnas Di, mae brwsh llawr cyn bwysiced â theyrnwialen, a chadach mor werthfawr â choron.

Arglwydd, gwna ni'n ddisgyblion y tywel a'r ddysgl ddŵr. Os gallodd ein Gwaredwr blygu er ein mwyn, siawns na allwn ddilyn ei esiampl Ef. Felly, cysegra ein gliniau, ein traed a'n dwylo fel y gwasanaethwn Di ac eraill er dy glod.

Trwy Iesu Grist, ein Harglwydd,

Amen.

Darlleniad: Ioan 13: 1-17
Emyn: 429

HEB EIN BEIAU

Heb allu dadlau bellach – am eiliad
gan mai milwaith rheitiach
i mi yw Efe mwyach
a'r 'Fi Fawr' yn rhyw 'fi fach.'

Einion Evans

Ein Tad, deuwn atat yn ostyngedig gan gofio mai'n wylaidd iawn y daethost Ti atom ni ym mherson Crist. Dangosodd ef yr un gostyngeiddrwydd trwy ei holl fywyd. Drwy gydol ei oes ddaearol ni chwenychodd Iesu Grist y seddau blaen. Wnaeth o erioed iro dwylo neb na chaniatáu i eraill ei dwyllo yntau â gweniaith.

Ein Tad, mae'n anodd meddwl y gallai dilynwyr Iesu o bawb geisio dynnu llaw dros ei ben a swcro ffafriaeth. Dylai Iago ac Ioan a'u mam wybod yn well. Sut na fyddent hwy wedi deall mai neges yr athro oedd esiampl ei ddisgyblion: Y rhai olaf sydd flaenaf yn nheyrnas Duw. Y rhai sydd wrth y llyw sydd i wthio'r ferfa a 'sgubo'r llawr.

Mae'n hawdd i ninnau hefyd Arglwydd fod yn ddall i'n beiau ein hunain wrth weld gwendidau eraill. 'Heb ei fai heb ei eni' yw hanes pawb ohonom. Medrwn ddeall dicter y disgyblion tuag at y ddau frawd a geisiai ffafr y meistr ac eistedd o boptu iddo yn ei deyrnas. Ydi, mae'n hawdd gweld balchder a chenfigen ac anwybyddu ein gwendidau ein hunain.

Ein Tad, mi fyddai'n braf gallu dechrau yfory heb ein ffaeleddau a gadael ein beiau ar ôl. Mynd ymlaen i'r yfory gwell heb ein gwendidau, heb ein dicter, ein cenfigen, ein balchder a'n hunanoldeb. Ein Tad, o wneud hyn, siawns na fyddwn wedyn yn barotach i roi gwasanaeth yn lle disgwyl cael ein gwasanaethu. Rhoi o'n gorau ac nid ein gwaethaf wna yfory yn well.

'Ni allaf roddi fel y rhoddaist im' yw ein hanes ni i gyd. Gwna ein gorau yn well a'r gwell hwnnw yn dangos dy ddaioni Di. Amen.

Darlleniad: Mathew 20: 20-28
Emyn: 793

CYFFYRDDIAD LLAW

'Pan fyddo'r lleferydd yn fud, defnyddiwch eich llaw; pan fyddo'r tafod dan glo, defnyddiwch eich dwylo', meddai'r diweddar Tom Nefyn. Dyma'r gŵr a fyddai'n ysgwyd llaw hyd at benelin. Gallai siarad â'i ddwylo. Os oes rhai meidrolion yn meddu ar gyffyrddiad trydanol, pa faint mwy Iesu Grist?

Pan oedd ein Harglwydd yn cyffwrdd pobl, boed mewn gair neu weithred, byddai dau beth yn sicr o ddigwydd:
'roedd yn peri i'r mawr fynd yn fach ac yn gwneud y bach yn fawr. Y peth mawr i'r arweinyddion crefyddol yn nyddiau Iesu oedd cadw'r deddfau cyfreithlon i'r llythyren. Fe wnaeth y Phariseaid hynny yn y fath fodd fel bod gwybedyn yn edrych fel cacynen, a llyn hwyaid fel Môr yr Iwerydd. Ond pan ddeliodd Iesu â hwy, 'roedd degymu'r mintys, yr anis a'r cwmin yn edrych yn chwerthinllyd.

Mae Iesu o hyd yn lleihau pethau gwirioneddol fawr bywyd – unigrwydd, galar a gwaeledd. Yn hanes Iesu'n iacháu'r gwahanglwyf, 'roedd cyffwrdd y claf yn seicolegol i'r broses iacháu. Pan gollodd y gwahanglwyf ei iechyd, fe gollodd hefyd ei hunan-barch a throdd yn esgymun ac yn wrthodedig gan gymdeithas. Cyn dweud yr un gair wrtho, yr hyn a wnaeth Iesu oedd estyn ei law ac anwesu ei friwiau heintus; a bu i'r truan, o dan gyffyrddiad llaw Iesu, dyfu mewn hunan-barch. 'Roedd yn cyfri unwaith yn rhagor. Un o anghenion mwyaf trueiniaid ein byd yw sylweddoli bod rhywrai â digon o gonsýrn i'w huniaethu eu hunain â hwy. Gwyddai'r Fam Teresa bwysigrwydd cyffwrdd yr anghenus.

Wrth edrych ar fywyd drwy sbectol Iesu, fe welwn ninnau hefyd fod hatling y wraig weddw yn sgleinio fel sofran felen, a bod hedyn mwstard yn tyfu'n goeden.

Bu adeg pan oedd y Fagdalen honno a'r wraig o Samaria yn teimlo'n neb ac yn dda i ddim yng ngolwg cymdeithas. Dan gyffyrddiad Iesu, trodd bywydau rhai o wehilion cymdeithas yn wynfydedig.

Mae modd i ninnau hefyd drwy ein ffordd o fyw leihau pethau mawr bywyd i eraill, a gwneud i bethau bach disylw ddod yn bwysig unwaith yn rhagor. Hynny ydi, etifeddu cyffyrddiad Iesu Grist.

'Roedd Pantycelyn wedi deall y gyfrinach pan ganodd am yr eiddil yn goncwerwr mawr, a darostwng cewri cedyrn fyrdd i lawr. Ond mae amod:

> Gad im deimlo
> Awel o Galfaria fryn.

Gweddïwn

Arglwydd da, gwna ni'n debyg i Iesu Grist. Maddau ein bod yn mynd y ffordd arall heibio ac yn cadw hyd braich. Maddau ein bod yn troi ein trwynau yn hytrach na phlygu i estyn llaw. Maddau ein bod yn rhy fursennaidd i helpu'r esgymun a'r gwrthodedig.

Atgoffa ni o eiriau'r Un nad oedd arno ofn estyn llaw. 'Yn gymaint ag i chwi ei wneud i un o'r lleiaf o'r rhain . . . i mi y gwnaethoch'. Wrth ymestyn atynt, dyro i ni gyffyrddiad ei law er gogoniant a chlod i'w enw.

Amen.

Darlleniad: Marc 1: 40-45
Emyn: 372

EDRYCH ARNAF

Mae ambell dro chwithig a phrofiad chwerw yn peri i ni ddweud llawer heb siarad dim. Gall gwrid y gruddiau ddangos anniddigrwydd, euogrwydd neu gywilydd. Nid y tafod yn unig yw'r unig aelod o'r corff y medrwn ei ddefnyddio i lefaru. Mae gwasgiad tyner llaw yn mynegi'r hyn sy'n anhraethadwy i'r genau.

Fel arfer swyddogaeth y llygaid yw ein galluogi i weld ond y maent, ar adegau, yn llefaru llawer. Clywsom rai sawl tro yn dweud: 'Siaradodd o'r un gair ond 'anghofia i fyth mo'i lygaid o (neu hi)'. Yn ôl Efengyl Mathew, 'Y llygad yw cannwyll y corff' – mor wir yw hyn. Ar adegau, llenwir llygaid ag anwyldeb ond gall llygaid hefyd adlewyrchu casineb a chreulondeb. Weithiau mae'n pefrio o ddireidi a llawenydd a thro arall mae'n llawn tristwch a gofid. Mae'n bosib' i un edrychiad o eiddo'r llygaid doddi'r galon galetaf.

Sut edrychiad oedd gan Iesu Grist? 'Roedd yn newid, mae'n debyg, yn ôl yr amgylchiad, ac 'roedd neges Ei lygaid yr un mor amrywiol. Wedi iddo ddweud Dameg y Winllan wrth ei bobl a sôn am y tenantiaid yn curo gweision y perchennog cyn lladd etifedd y winllan, 'yr Iesu edrychodd arnynt'. Gwyddai bod trem ei lygaid yn ddigon i'r bobl ddeall mai yn eu herbyn hwy y llefarodd y ddameg wrthynt. Ond tybed ai neges wahanol welodd yr Iddewon yn ei lygaid pan oeddynt ar fin ei groeshoelio?

Dro arall, wrth sgwrsio â gŵr ifanc goludog, fe ddywed yr hanes i Iesu edrych arno a'i hoffi ond pan fethodd y gŵr ifanc â rhoi'r hyn oedd ganddo i'r tlodion er mwyn dilyn Iesu, llanwyd y llygaid annwyl hynny â lleithder a siom. Yng Nghesarea Philipi wedi iddo gyffesu mai Iesu oedd y Crist, mab y Duw byw, ceisiodd Pedr rwystro Iesu rhag cael ei groeshoelio. Dyma bryder cyfaill a oedd heb ddeall bod ei gariad yn rhwystr i Iesu gyflawni ei dasg achubol. Yna 'Iesu a drodd ac a edrychodd ar ei ddisgyblion'. A welodd y disgyblion ei lygaid yn apelio arnynt i beidio â'i rwystro yn ei gynlluniau ar eu cyfer? O na welem apêl ei lygaid heddiw fel na fyddem yn rhwystr i waith yr efengyl ac i ddatblygiad ei deyrnas.

Pan droes yr Arglwydd ac edrych ar Pedr, gwelai gyfaill yn gwadu cyfaill. Collodd Pedr gyfle i'w arddel ac ar ganiad y ceiliog cofiodd air yr Arglwydd wrtho, 'Cyn i'r ceiliog ganu heddiw, fe'm gwedi deirgwaith'. Aeth allan ac wylo'n chwerw. 'Doedd dim geiriau a allai fynegi teimladau Iesu; am hynny llefarodd â'i lygaid. Gweld syndod a siom yn gymysg â'i gilydd yn llygaid yr Iesu a barodd i Pedr wylo'n chwerw. Ond gwelodd hefyd yr hyn â'i cadwodd rhag tynged Jwdas – y tosturi, y maddeuant a'r cariad hwnnw oedd yn tyneru condemniad llygaid Iesu.

Cofiwn a chwiliwn am y tynerwch sy'n pelydru o'i lygaid. Gweddïwn ar i Dduw ein cadw rhag dwyn deigryn dwyfol ei Fab a gweddïwn eiriau'r salmydd:

> Llewyrched dy wyneb arnaf
> Edrych arnaf a thrugarha wrthyf.

Amen.

Darlleniad: Luc 22: 54-62
Emynau: 325, 741

Duw drwy'r flwyddyn

DYDD SANTES DWYNWEN

Ionawr y pumed ar hugain yw Dydd Nawddsant Cariadon Cymru. Dydd Santes Dwynwen, dydd i ddathlu bod mewn cariad. Dydd i ddweud 'Mae gen i gariad, a thi yw honno!' Dydd y lodes a'r wejen, y sboner a'r fodan. Dydd i'r ifanc anfon cerdyn calonnau ac arno gusanau rif y gwlith gan edmygydd dirgel. Dydd i yrru dwsin o rosynnau cochion neu focs o siocled. Dydd i eraill broffesu'u cariad mewn llinell gyfarch mewn cerdyn, 'Ti'n werth y byd i gyd yn grwn!' 'Ti yw fy siwgr mêl o hyd'. Cyfle i lafarganu hen benillion fel:

> F'anwylyd hyfryd wenfron,
> Rhagori ar y mawrion.
> Wyt fel **y** lili gerddi gwâr
> Ymysg y mwyar duon.
>
> Hardd yw gwên yr haul yn codi
> Gyda choflaid o oleuni,
> Hardd y nos yw gwenau'r lleuad,
> Harddach ydyw grudd fy nghariad.

Ie, peth rhyfedd yw iaith cariad. Mae'n gallu bod yn eiriau bach i gyd fel 'ngwas i' a 'mechan i' a 'phwtan' a 'bychan bach'. Ai siarad cariad fel hyn yr oedd Dwynwen a Maelon ymhell yn ôl yn y bumed ganrif? Ai siarad siwgwr mêl a chlychau priodas fu'r ddau ynteu siarad cariad di-air a fu rhyngddynt trwy weithred, trwy edrychiad neu gyffyrddiad? Beth bynnag fo iaith eu cariad, rhoddodd tad Dwynwen, sef Brychan Brycheiniog, daw ar eu cariad trwy ddatgan ei fod wedi addo llaw ei ferch i ŵr arall. 'Does ryfedd i Dwynwen droi at Dduw ac ymbil arno i'w chynorthwyo i anghofio'i theimladau dwfn at Maelon. Mewn breuddwyd daeth angel ati gyda diod felys a wnaeth iddi anghofio tanbeidrwydd ei chariad at Maelon a'r un ddiod a drodd Maelon yn dalp o rew. Rhoddodd Duw dri dymuniad iddi. Ei dymuniad cyntaf oedd dadmer Maelon. Ei hail ddymuniad oedd y byddai Duw yn rhoi'r gallu iddi ateb gobaith a breuddwyd gwir gariadon. A'i dymuniad olaf oedd na fyddai hi byth yn priodi fel y gallai wasanaethu Duw fel lleian ar Ynys Llanddwyn ym Môn.

A hyd heddiw, y mae cariadon yn troedio tywod Ynys Llanddwyn i dderbyn bendith ar eu cariad.

Beth, tybed, fyddai cyngor Dwynwen i rai sy'n chwilio am gariad? Beth, tybed, fyddai ymateb Dwynwen i rai sydd wedi'u siomi mewn cariad? Beth, tybed, fyddai arweiniad Dwynwen i rai sydd angen cynnal eu cariad?

Tybed ai ymateb fel hyn y byddai Dwynwen wrth geisio ateb cwestiynau'r rhai a fyddai'n chwilio am gariad?

> Mewn cynhesrwydd cesail a mwythau mam
> mae iaith cariad.
>
> Mewn anwes llaw a gwrid ysgafn
> mae iaith cariad.
>
> Mewn chwerthin iach a chrio tawel
> mae iaith cariad.
>
> Mewn tro da a chymwynas fach
> mae iaith cariad.
>
> Mewn llythyr cyfaill a sgwrs gynnes
> mae iaith cariad
>
> Mewn ysgwyd llaw a tharo cefn
> mae iaith cariad
>
> Mewn plygu glin a dwy law ynghyd
> mae iaith cariad.
>
> O'n mewn i gyd mae Duw,
> Iaith pob cariad yw.

Gwna i ni weithredu ysbryd Santes Dwynwen trwy wireddu gwir gariad at ein gilydd nid yn unig ar Ionawr y pumed ar hugain eleni ond wrth gyd-fyw a chyd-garu bob dydd.

Gweddïwn

Wrth i ddydd Santes Dwynwen nesáu, boed i ni gael ein hatgoffa o eiriau'r Apostol Paul yn ei lythyr at yr Effesiaid:

> Boed i chwi, sydd â chariad yn wreiddyn a sylfaen eich bywyd gael eich galluogi i amgyffred ynghyd â'r holl saint beth yw lled a hyd ac uchder a dyfnder cariad Duw, a gwybod am y cariad hwnnw, er ei fod uwchlaw gwybodaeth.

Lled cariad Duw yw'r modd y mae'n caru ei holl greadigaeth. Os ydi'r byd a'r hyn oll sydd ynddo yn dangos lled cariad Duw, gwna ni, sy'n stiwardiaid Duw ar y ddaear, yn stiwardiaid sy'n cymryd ein cyfrifoldeb o ddifrif i warchod y byd a'i greadigaeth.

Hyd cariad Duw oedd rhoddi ei unig anedig fab i breswylio yn ein plith. Wrth roi Crist, gweithredodd Duw eithaf ei gariad. Ac eithaf cariad Iesu Grist oedd dioddef marwolaeth ar y groes er ein mwyn. Atgoffir ni o hyd am dy gariad bob tro wrth Fwrdd Swper yr Arglwydd a Sacrament y Cymun.

Dyfnder cariad Duw yw gofalu am bawb sy'n credu ynddo ef. Os yw Duw yn mynd i'r gwaelod isaf un yn nyfnder ei gariad, rhaid i ninnau ddangos cariad at gyd-ddyn pwy bynnag y bo.

Uchder cariad Duw yw cael ohono fywyd tragwyddol. Rho i ni rinweddau'r cariad tragwyddol, sef gwybod am dy dangnefedd di, O Dduw, yng nghanol trybestod a thrallod bywyd; gwyleidd-dra yng nghanol ein llwyddiant bydol; trugarowgrwydd at yr anghenus yng nghanol ein llawnder; bod yn faddeugar at y rhai a wna niwed i ni a bod yn edifeiriol am ein beiau a'n pechodau wrth droi at Dduw.

Ydi, mae'r Apostol Paul yn llygad ei le pan ddywed fod gwybod am led, hyd, dyfnder ac uchder dy gariad Di y tu draw i'n gwybodaeth.

Cynorthwya ni i geisio amgyffred ac i geisio deall dy gariad anfeidrol Di ac o'i ddeall ei efelychu.

Amen.

Darlleniad: Effesiaid 3: 14-20
Emynau: 300, 171

DIWRNOD FFŴL EBRILL

Sawl gwaith 'rydych chi wedi cael eich galw'n Ffŵl Ebrill erioed? Fuoch chi'n ddigon gwirion i gredu stori fawr neu ffaith anhygoel? Fuoch chi'n ddigon dwl i ymateb i rybuddion di-ofyn-amdanynt fel 'gwylia faglu yn fan 'na' a dim i faglu trosto! Fuoch chi'n ddigon di-ben i gredu eich bod wedi ennill cystadleuaeth ar ddiwrnod Ffŵl Ebrill? Do wir! Wel, 'dydych chi ddim yr unig ffŵl yn y byd! Mae'n debyg mai'r triciau enwocaf ar ddiwrnod Ffŵl Ebrill oedd y rhai a gyhoeddwyd ar sianel deledu'r BBC yn dweud bod newid yn mynd i ddigwydd i hyd a lled y gôl ar gaeau pêl-droed a bod Tŵr Pisa wedi disgyn! Yr enwocaf o ddigon yw'r bwletin ar raglen *Panorama* yn 1957 yn hysbysu bod coed o fath arbennig yn tyfu sbageti ac eto yn 1965 pan gyhoeddwyd bod dyfais newydd yn gallu trosglwyddo arogleuon trwy'r gwifrau radio. Yn y ddau achos, cysylltodd nifer i ddweud eu bod â diddordeb i dyfu coed sbageti neu i ddweud eu bod yn gallu clywed arogleuon tros wifrau'r radio!

Mae pawb ryw dro neu'i gilydd wedi'u cicio'u hunain ac wedi fflamio am syrthio i fagl y sawl sy'n herio'r ffŵl ar ddiwrnod Ffŵl Ebrill. Ond ffŵl diniwed yw Ffŵl Ebrill. Y math o ffŵl sy'n creu pwl o chwerthin iach a gwrid ysgafn ar foch. Mae diwrnod Ffŵl Ebrill yn fore o dynnu coes a chwarae jôcs ar gymdogion, ffrindiau, cydweithwyr ac aelodau'r teulu. Bore i 'yrru pobl ar ffwlbri' heb iddynt wybod ac i chwarae triciau gwirion ar ei gilydd cyn bod hanner dydd yn dod.

Yn ôl Mark Twain, dyma'r diwrnod sy'n ein hatgoffa o'r hyn ydym ni yn ystod holl ddiwrnodau eraill y flwyddyn.

Ond mae yna ffŵl a ffŵl, on'd oes? Maglau diniwed a osodir i ni ar ddiwrnod Ffŵl Ebrill. Ond gwyliwn ni weithiau rhag troi'n ffyliaid heb feddwl; yn siarad yn lle meddwl; yn rhuthro fel ffyliaid heb weld gwerth arafu'n cam; yn gwneud ffŵl o eraill yn fwriadol neu'n parablu ffolineb a gweithredu'n ffôl.

Mae'n hawdd syrthio i fagl y ffôl a dilyn ôl traed yr ynfyd. Mae'n anoddach o lawer dilyn camau'r doeth.

Ar ddydd Ffŵl Ebrill, gobeithio y gallwn chwerthin am ein pennau ein hunain. Gobeithio y gallwn weld y gwahaniaeth rhwng y gwirion a'r gwirion gwirion a gwybod pryd y mae tynnu coes yn troi'n loes.

Darlleniad: Diarhebion 26: 1-11 ac i ddilyn
Diarhebion 24: 3-7

DYDD EWYLLYS DA
Mai 18

Anfonwyd neges Dydd Ewyllys Da am y tro cyntaf ym 1922 gan y Parchedig Gwilym Davies, heddychwr i'r carn a fu'n greiddiol wrth sefydlu Undeb Cymreig y Cenhedloedd ac, yn ddiweddarach, UNESCO. Gweledigaeth Gwilym Davies oedd uno ieuenctid y byd trwy neges o heddwch. Rhannai sylfaenydd yr Urdd, Syr Ifan ab Owen Edwards, yr un weledigaeth, a Syr Ifan a sicrhaodd fod ieuenctid Urdd Gobaith Cymru yn uno yn yr ymdrech i chwalu muriau a ffiniau rhwng y cenhedloedd trwy gyfrwng neges Ewyllys Da. Darlledwyd y neges am y tro cyntaf ar y BBC World Service ym 1924 ac erbyn pumdegau'r ganrif ddiwethaf rhoddwyd y cyfrifoldeb ar yr Urdd i gyhoeddi neges Ewyllys Da yn flynyddol ar Fai 18, sef diwrnod y Gynhadledd Heddwch gyntaf yn yr Hâg.

Mae paratoi a datgan neges Ewyllys Da yn rhoi ar waith genhadaeth Urdd Gobaith Cymru sef cyflwyno neges trwy law ieuenctid Cymru, tros gyd-ddyn a thros Grist. Waeth beth fo thema'r neges er 1922, boed yn thema o heddwch, dileu hiliaeth, diddymu tlodi neu anghyfiawnder, mae gweithred yn cydio pob neges gyda'i gilydd – gweithred o estyn llaw er mwyn cryfhau ffydd ieuenctid ac er mwyn cyflwyno'r neges fod angen cyfiawnder a thegwch; estyn llaw er mwyn parchu pobloedd dros y byd fel nad oes trais a rhagfarn na cham-drin na hil-laddiad.

Math o neges gadwyn yw neges Ewyllys Da – neges sy'n magu nerth wrth gael ei chyhoeddi yn y Gymraeg a'r Eidaleg, yr Almaeneg a'r Bwyleg, y Saesneg a'r Iseldireg, Ffrangeg, Arabeg, iaith Hindi, Groeg a Rwmania. Neges ydyw a drosglwyddwyd ar dafod leferydd yn y lle cyntaf trwy air a chân, yna tros wifrau'r radio ac erbyn heddiw trwy e-bost a thrwy rwydwaith y we fyd-eang. Cryfheir neges Ewyllys Da gan fudiad yr Urdd gyda gweithred ac ymgyrchoedd megis rhoi cyfle i ieuenctid fynd ar daith gyfnewid rhwng Cymru a gwledydd eraill i ddysgu trostynt eu hunain am amgylchiadau byw eu brodyr a'u chwiorydd mewn cenhedloedd eraill beth bynnag eu ffydd a'u credoau.

Ond mae'r neges gadwyn hon yn hŷn na 1922. Gallwn olrhain ei dechreuadau ymhell bell cyn hyn pan aeth Crist allan i'r mynydd i weddïo trwy'r nos a galw ato ei ddeuddeg disgybl yn y bore bach a rhoi'r enw 'apostolion' arnynt. Yr apostolion hynny a aeth yn eu tro ar droed dros diroedd a thros foroedd i Antiochia a Syria, Cyprus a Macedonia, Athen a Chorinth ac at genhedloedd eraill i gyhoeddi'r newyddion da ac i argyhoeddi eraill ynghylch teyrnas Duw. Ac yn araf, ar droed a thafod lleferydd, ymgasglodd y newyddion da yn ôl nerth yr Arglwydd, a'r Gair yn cynyddu a chryfhau: 'Aeth eu lleferydd allan i'r holl ddaear a'u geiriau hyd eithafoedd byd'. Dywedodd yr apostol mawr ei hun wrth yr Effesiaid am ymarfogi yng ngwisg Duw yn erbyn awdurdodau a llywodraethau a thywysogaethau eu cyfnod. Yr un yw neges Ewyllys Da ein dyddiau ninnau – i wisgo gwisg Duw a sefyll i argyhoeddi llywodraethau am anghyfiawnderau ein cyfnod ni. Llefarodd, troediodd a hwyliodd Paul a'r apostolion i genhadu'r efengyl.

Diolch bod gennym ninnau Ddydd Neges Ewyllys Da i'n hatgoffa i ddefnyddio ein dulliau cyfathrebu cyfoes fel gwifrau a darllediadau a rhwydwaith i hwylio'r we a pharhau'r gadwyn o gyflwyno neges Ewyllys Da o enau ieuenctid Cymru at ein cymdogion dros y byd.

Fel y dywedodd Paul wrth yr Effesiaid, gadewch i ninnau hefyd, y sawl sy'n gwrando ar neges Ewyllys Da, fod yn barod i gyhoeddi Efengyl tangnefedd 'yn esgidiau am ein traed'.

Cadwyn o ddarlleniadau: Luc 6: 12-13; Actau 16: 7-10; Effesiaid 6: 12-15.
Emynau: 844, 244

DIWRNOD RHOI GWAED
Mehefin 14

Mehefin 14 yw'r diwrnod i atgoffa pawb dros y byd i roi gwaed er mwyn gwella eraill. Dyma ddiwrnod geni Karl Landsteiner a ddarganfu'r system grwpio gwaed – A, B, AB, ac O. Dyma'r diwrnod pan ddaw gwasanaethau gwaed dros y byd i gyd at ei gilydd i ddweud diolch wrth y sawl sy'n rhoi gwaed ac i godi ymwybyddiaeth eraill o'r angen. Mae pawb ohonom yn euog o gymryd yn ganiataol y cawn ni waed petai'r angen yn codi yn dilyn llawdriniaeth, anffawd, damwain, trychineb neu afiechyd. Nid ar gyfer gwasanaethau brys yn unig y defnyddir gwaed. Dewch i ni brocio ein cydwybod gydag ychydig o ffeithiau:

- Wyddoch chi fod ysbyty cyffredin yn defnyddio rhwng 550-750 uned o waed bob mis?
- Wyddoch chi mai dim ond tua 5% o'r boblogaeth abl sy'n rhoi gwaed?
- 'Ydych chi'n sylweddoli bod cyflenwad gwaed y wlad yn gostwng yn ystod misoedd yr haf pan fo nifer helaeth o'r rhoddwyr yn mynd ar eu gwyliau?
- 'Ydych chi'n sylweddoli bod angen codi'r cyflenwad gwaed yn ystod cystadlaethau chwaraeon pwysig neu gyngherddau roc agored?
- Gall eich gwaed achub mwy nag un bywyd.

Mae angen codi ein llewys yn llythrennol i roi gwaed. Sawl gwaith y gwelwch chi faneri'r Gwasanaeth Gwaed yn eich annog i roi rhyw bum munud neu ddeg o'ch amser? Sawl gwaith yr ewch chi heibio'r symbol o ddwy galon wedi'u huno'n un? Ond ydych chi wedyn yn codi'ch llewys i roi gwaed?

Yn ôl yr hanes, dechreuodd y 'rhoi' cyntaf ym 1921 pan wirfoddolodd pedwar aelod o Gymdeithas y Groes Goch yn Llundain i roi gwaed yn Ysbyty Coleg King's. A dyna ddechrau'r gwasanaeth rhoi gwaed gwirfoddol cyntaf y byd.

Gwaetha'r modd, dim ond pan fo angen derbyn trallwysiad gwaed y gwerthfawrogir rhodd rhywun yn rhywle trosoch. Ac wrth fynd trwy'r broses trallwyso gwaed, gan gadarnhau eich enw a grŵp eich gwaed, 'rydych yn chwilio am wyneb i'r rhoddwr. 'Rydych yn myfyrio ar ei rodd wrth deimlo'i waed yn llifo drwoch.

Ar Fehefin 14, Diwrnod Rhoi Gwaed y Byd, mae pobl na ragwelodd yr angen i dderbyn gwaed yn dweud eu hanesion – pobl fel chi a fi ydynt, yn blant, rhieni, chwaraewyr rygbi, enwogion a selebs, yn datgan eu diolch am y rhai a roddodd waed trostynt. Mae gen innau le i ddiolch i'r sawl a aeth am ddeng munud i roi ei waed trosof i. Pwy oedd o neu hi? Wn i ddim. Dyma 'ngwrogaeth iddynt:

> I'r rhoddwyr gwaed rhesws negatif O
>
> Beth yw enwau'r rhai roddodd waed
> adfywiodd 'mywyd i dros dro nis gwn.
> Ni wyddant hwythau 'chwaith
> pwy yw'r un a dderbyniodd les o fywyd
> ganddynt hwy.
> Pa iaith siaradant
> a beth yw lliw eu crwyn?
> Hynny ni chaf wybod byth.
> Ond gwn fod imi frawd neu chwaer
> na chaf eu gweled byth,
> a'n bod i gyd yn blant i'r un un Tad.
> Yr Un trwy'i Fab
> o'i fodd
> dywalltodd waed drosom ni gyd.

Heddiw, gad i ni ddiolch am bob rhoddwr gwaed a ddilynodd esiampl yr aberth mawr ei hun.

> Un aberth mawr yn sylwedd
> Yr holl gysgodau i gyd;
> Un Iesu Croeshoeliedig
> Yn feddyg trwy'r holl fyd.

Ydi, 'mae'r gwaed a redodd ar y groes o oes i oes i'w gofio'. Amen.

Darlleniad: 2 Corinthiaid 9: 6-8
Emynau: 492, 507

DIWRNOD TROI'R CLOC YN ÔL

Tua diwedd mis Hydref, mae hi'n adeg honno o'r flwyddyn pan mae hi'n amser troi'r cloc yn ôl. Ac am ddau o'r gloch y bore, rhwng nos Sadwrn a bore Sul, byddwn yn troi'r cloc yn ôl i amser 'Greenwich Mean Time.' Dyma'r adeg pan fydd hi'n nosi'n gynt ac yn dechrau tywyllu o 4.30 y prynhawn ymlaen. Fyddwch chi'n cofio troi bysedd cloc y gegin, cloc y gwresogydd, cloc larwm erchwyn gwely, cloc y car neu'ch wats? Fyddwch chi'n cofio mai edrych yn ôl at yr haf a wnawn ni ym mis Hydref ac felly troi'r cloc yn ôl a wnawn ni? Troi'r cloc yn ôl i ennill awr.

Faint elwach fyddwn ni o ennill awr, tybed? Ai elwa wnawn o'r awr ychwanegol trwy gael awr yn fwy o gwsg? Tybed ai elwa drwy ennill awr yng nghwmni cyfeillion neu gymdogion a wnawn ni neu, efallai, profi awr yn fwy o fwyniant neu adloniant?

Beth ddaw i'n rhan mewn awr o amser? Gall hi fod yn awr lwyddiannus i feddyg a nyrs a chlaf mewn ward neu theatr mewn ysbyty. Wyddom ni ddim. Gall hi fod yn awr adfyd neu'n awr cyfyngder i rywun arall. Gall hi fod yn awr yn hwy o boenydio neu dramgwyddo. Diolch weithiau na wyddom ni mo'r dydd heb sôn am yr awr y daw adfyd i'n rhan.

Wrth ennill awr ar wyneb y cloc y mis Hydref hwn, wnawn ni ddefnydd doeth o'r awr? Sut medrwn ni wneud yn fawr o'r awr fonws hon? Ai adnewyddu ein hegni ein hunain fyddai orau a chysgu drwy'r awr? Ai llenwi'r awr a wnawn ni i'n dibenion ein hunain? Ai benthyca awr o'n hamser i gymydog neu gâr sydd angen ymgeledd a wnawn ni eleni?

Mae ennill awr yn sialens i bob Cristion. Wrth droi bysedd y cloc yn ôl unwaith eto, sut mae troi ein llaw er budd dy enw di, O Dduw? Os bydd hi'n awr adfyd, awr argyfyngus, gwna i ni gofio geiriau Crist: 'Yn awr mae fy enaid mewn cynnwrf. Beth a ddywedaist? O Dad, gwared fi rhag yr awr hon? Na, i'r diben hwn y deuthum yr awr hon. O Dad, Gogonedda dy Enw'.

Ond os bydd hi'n awr o lawenydd, yn awr o ddathlu, neu'n awr o fawl, atgoffa ni, O Dduw, am y deuddeg awr arferol sydd mewn diwrnod. Gwna i ni lenwi pob awr o'r dydd yn dy enw Di. Gwna i ni dreulio pob awr yn dy ffordd Di o fyw a bod. Drwy dreulio awr yn dy gwmni Di, daw goleuni i ymestyn pob nos. Ac os mai'r weithred o droi bysedd y cloc yn ôl y mis Hydref hwn a wnaeth i ni lenwi'r awr am y tro cyntaf yn dy enw Di, boed i dy gariad Di fod gyda ni oll o'r awr hon a hyd byth. Wrth droi'r cloc yn ôl eleni i ymestyn goleuni'r bore, gwna i ni i gyd weld pelydr dy haul Di yr Hydref hwn. Ti, 'y gwir olau gwiw'.

Darlleniad: Effesiaid 5: 8-9, 13
Emyn: 228

DIWRNOD TÂN GWYLLT

Cyn bo hir, Ein Tad, bydd fflamau coelcerth yma ac acw drwy ein gwlad a mawr fydd miri'r plant, a ninnau'r oedolion hefyd, o gylch y tân. Mae rhai ohonom yn gwybod gwir hanes Guto Ffowc a pham y llosgir dyn o wellt. Nid oes i'r goelcerth bellach gynllwyn brad na dichell cosb. Nid yw ond esgus i gael hwyl a sbort a sbri a chyfle i losgi sbwriel o bob math. Ac am awr neu ddwy neu fwy, bydd sbloets y powdwr sêr yn ffrwydro a goleuo'r nos.

Tybed, ein Tad, a ydym yn debyg i'r tân gwyllt? Fe ffrwydrwn weithiau'n sydyn iawn a brifo'n gilydd, gwaetha'r modd. Dro arall, fe neidiwn yma a thraw yn fawr ein stŵr nes peri dychryn mawr a braw. Mor debyg ydym hefyd i'r olwyn dân yn troi a throi a thynnu sylw mawr heb fynd i unman, dim ond cylchdroi.

Mil gwell yw bod yn debyg i'r tân gwyllt sy'n lliwiau i gyd a'u golau'n bleser i bawb o'u tu – yn ffynnon arian, yn llaw aur a bwa megis enfys yn prydferthu'r nos.

Atgoffa ni, ein Tad, mai'r hyn sydd oddi mewn sy'n penderfynu sut rai ydym ni. Yr hyn na welir ynom a'n gwna'n rasol neu'n wyllt.

Rho ynom nefol dân, ein Tad, i losgi'n wastad drwy'r nos i harddu a goleuo'r gwyll. Na foed ein sêl i weithio er dy fwyn fod fel gwreichion gwyllt yn poeri fflamau i bob man ac yna'n marw'n ddiffaith a di-ffrwt.

Cadwa'n brwdfrydedd i losgi drwy ein hoes yn oleuadau lliwgar i Ti. Rho ynom ni dy sanctaidd dân.

Amen.

Emyn: 428

Duw drwy'r dathliadau

GŴYL CALAN

CAMU YMLAEN

Ein Tad tragwyddol, yn dy olwg Di mae mil o flynyddoedd fel doe sydd wedi mynd heibio. Ond creaduriaid amser ydym ni, ac os medri Di 'sgubo'r blynyddoedd ymaith fel breuddwyd, 'fedrwn ni ddim.

I ni sy'n feidrol, mae mentro dros drothwy blwyddyn newydd yn gam mawr, yn wefr ac antur a hefyd yn codi ofn a dychryn.

Diolch i Ti, ein Tad, nad yw dy fraich wedi byrhau fel na elli ein cyrraedd. Felly, wynebwn y flwyddyn newydd law yn llaw hefo Ti. Bydd hynny'n lleihau arswyd yr ansicrwydd ac yn dileu ofn y dyfodol.

Oes, mae 'na ansicrwydd cyn croesi, Arglwydd.

Diolch i ti am hanes Moses a arweiniodd ei bobl drwy'r anialwch a mentro'n ffyddiog i'r dyfodol.

Ydi'n cefnau ni'n ddigon llydan i wisgo mentyll y rhai a aeth o'n blaen? Fyddwn ni'n gwybod ym mhle i daro craig i gael ffynhonnau 'fory?

Be' ddwedaist Ti, Arglwydd? Dweud am i ni sychu ein dagrau? Dweud bod gan bob cenhedlaeth ei Josua? Dweud y cawn ni groesi ar dir sych? 'Wyt ti am i ni ysgwyddo'r arch a'i chario drwy wely'r afon i'r ochr arall er mwyn ein plant a'u plant hwythau? Wrth gwrs, Arglwydd, mae'r cyfamod yn bwysicach na'r cyfrwng, ac ydi, mae'r arch yn fwy gwerthfawr na'r cerbyd. Fe wyddom, O Dduw, fod y ffrâm, ffrâm yr hen gerbyd, yn dadfeilio ac mae'n hwyr glas i ninnau newid y cyfrwng.

Ond os oes pry' yn y pren ac os ydi'r ffrâm yn pydru, awn ymlaen, ein Tad tragwyddol, i wynebu'r flwyddyn newydd a phob blwyddyn arall a ddaw gan wybod nad yw dy deyrnas Di ddim yn darfod nac yn dadfeilio.

Camwn i'r dyfodol gyda'th air ar lech ein calon gan wybod y byddi Di i ninnau yr hyn a fuost i'n tadau. Ni saif neb o'th flaen.

Awn ymlaen a chroesawu dirgelwch y flwyddyn newydd heb arswyd, yn llaw Iesu.

Amen.

Darlleniad: Numeri 20: 1-13, Josua 3: 1-17.
Emynau: 61, 71

LLYNCU BALCHDER

Ein Tad, deuwn atat ar ddechrau blwyddyn a hynny ar ein gliniau'n ostyngedig. Cofiwn mai felly y daethost Ti, ein Crëwr, i'n plith yn 'faban heb ei wannach'.

Gwelwyd yr un gostyngeiddrwydd trwy holl fywyd Crist. Drwy gydol ei oes, 'ni chwenychodd y seddau blaen' ymhlith pobl.

Wnaeth o erioed iro dwylo neb na chaniatáu i eraill ei dwyllo yntau 'chwaith gyda gweniaith. O gofio hynny, ein Tad, mae'n anodd credu fod dau o'i ddisgyblion hyd yn oed sef Iago ac Ioan wedi ceisio ennill ei ffafr. Fe ddylai'r ddau fod wedi gwybod yn well.

Pwy bynnag sydd flaenaf yn dy deyrnas ddylai roi esiampl fel y rhoddodd ef. Golchodd dy Fab draed ei ddisgyblion. Plygodd i wneud gwaith y forwyn neu'r gwas bach. Nid pob arweinydd sy'n barod i wneud dyletswyddau cyffredin, dibwys, di-sôn amdanynt fel hyn.

Mae'n hawdd i ninnau hefyd, Arglwydd, fod yn ddall i'n beiau a methu gweld y trawst yn ein llygaid ein hunain. 'Rydym ni'n medru deall dicter y disgyblion tuag at y ddau frawd oedd yn ceisio ffafr y meistr ac yn eistedd o boptu iddo yn ei deyrnas. Ydi, mae'n hawdd gweld balchder a chenfigen ac anwybyddu ein gwendidau ein hunain.

Ein Tad, mi fyddai'n braf cael croesi'r ffin i'r flwyddyn newydd a gadael ein beiau yr ochr draw i'r clawdd terfyn.

Mynd ymlaen i yfory gwell heb ein gwendidau, ein cenfigen, ein hunanoldeb. Wedi llyncu ein balchder, siawns wedyn y byddwn yn barotach i roi gwasanaeth yn lle disgwyl cael ein gwasanaethu. Rhoi o'n gorau ac nid ein gwaethaf, dyna fyddai'n gwneud gwell yfory.
'Ni allaf roddi fel y rhoddaist im' ydyw'n hanes ni i gyd. Ymbiliwn, felly, am i Ti ein cynorthwyo i roi'n balchder o'r neilltu; ymbiliwn arnat i faddau pob rhyw fai sydd ynom fel y byddom yn debycach i Ti ac yn barod i wasanaethu eraill.

Amen.

Darlleniad: Mathew 20: 25-28
Emynau: 721, 70

ADDUNEDAU DECHRAU'R FLWYDDYN

Blwyddyn Newydd Dda i chi! Ydi, mae'n Ddydd Calan unwaith eto.

Beth ydi ystyr Calan? Diwrnod cynta'r mis neu'r tymor, meddai'r Geiriadur.

Mae'r Llyfr Mawr yn sôn am amserau arbennig hefyd –
'Y mae amser i bob peth, ac amser i bob amcan dan y nefoedd', ac yna mae'r Pregethwr yn rhestru wyth ar hugain o bethau y dylid rhoi amser iddyn nhw, ac yn eu plith y mae 'amser i fwrw ymaith' ac 'amser i gadw'.

Dechrau blwyddyn ydi'r amser gorau, mae'n debyg, i 'fwrw ymaith' hen deimladau annifyr, dicter, cenfigen a chasineb. Hefyd mae'n 'amser da i gadw'. Un peth ydi gwneud addunedau dechrau blwyddyn, peth arall ydi eu cadw nhw.

Mae sefyll ar drothwy'r flwyddyn newydd a syllu i'r dyfodol yn ysgogi rhywun i wneud addunedau mawr a chadarn ond, gwaetha'r modd, fel Morgan Rhys, yr emynydd o'r ddeunawfed ganrif:

> Gwnes addunedau fil
> i gadw'r llwybr cul,
> ond methu'r wyf

a dyna ydi hanes y rhan fwyaf ohonom.

Pam dewis dydd Calan i wneud addunedau? Mae'n debyg am fod dechrau blwyddyn yn union fel troi tudalen – 'tudalen lân', meddai pobl llawr gwlad, 'llechen lân', meddai pobl ardal y chwareli. Hynny ydi, mae dechrau blwyddyn yn gynnig arall, yn ailgychwyn, yn bennod newydd, ac yn amser i 'fwrw ymaith' hen arferion a phethau diwerth ac yn 'amser i gadw' yr arferion gorau, a gobeithio am ddyfodol da.

Gwraig o'r enw Minnie Louise Haskins a gyfeiriodd at geidwad porth y flwyddyn, gan ddweud: 'Dos allan i'r tywyllwch a rho dy law yn llaw Duw. Bydd hynny'n well na goleuni ac yn ddiogelach na ffordd'.

Ydi, mae sefyll ar drothwy'r flwyddyn yn her i'n ffydd ni.
Gallwn ddweud fel Josua, pan oedd ef ar fin arwain ei bobl drwy Afon yr Iorddonen drosodd i Wlad yr Addewid, ein bod 'yn tramwyo ffordd nad aethom hyd-ddi o'r blaen' ac aeth Josua 'mlaen drwy'r afon 'ar dir sych'.

> Anturio ymlaen – trwy ddyfroedd a thân – yn dawel yng nghwmni ei Dduw.

Yr un modd cawn Pantycelyn yn ymddiried yn Nuw:

> heb flino 'nghylch rhyw amser draw
> yr hwn ond odid byth ni ddaw.

Ar ddechrau'r flwyddyn ymddiriedwn ninnau ynot a rhoi ein llaw yn dy law Di, O Dduw.

Amen.

Darlleniad: Pregethwr 3: 1-8 ac yna i ddilyn 5: 4-5
Emynau: 87, 766

AGOR DRWS DECHRAU'R FLWYDDYN

Ceir hanes am Abraham yn mentro ymlaen 'heb wybod i ble'r oedd yn mynd' ond gwyddai fod Duw yr ochr arall i bob cornel ac yn ei ddisgwyl ym mhob tro o'r daith.

Ar ddechrau blwyddyn, 'rydym ni'n camu i'r tywyllwch a'r un pryd, fel T. Gwynn Jones, yn 'deisyfu golau'r haul ym mrig yr hwyr'.

Dyma'r adeg y mae'r dydd yn ymestyn, a chyn bo hir byddwn yn wynebu'r gwanwyn. Ar derfyn y mis bach, cawn ddyfynnu Caniadau Solomon – 'clywir cân y durtur yn ein gwlad,' neu'n fwy perthnasol i ni'r Cymry, clywir deunod y gwcw yn ein gwlad.

'. . . aeth y gaeaf heibio . . . ciliodd y glaw a darfu . . . y mae'r blodau'n ymddangos . . .' ac ernes o hynny ydi'r eirlysiau sydd wrthi ar hyn o bryd yn dechrau ymwthio blaen egin trwy'r pridd. Ai dyna arwyddocâd dechrau blwyddyn i ni? Neu a ydym ni'n besimistaidd fel Kate Roberts gynt? Dweud wnaeth hi fod 'dechrau blwyddyn yr un fath yn union â chegin heb dân ynddi'. Na, i'r gwrthwyneb, gadewch i ni lafarganu hen rigyma' hel c'lennig ers talwm:

> Blwyddyn newydd dda i chwi,
>   ac i bawb sydd yn y tŷ . . .
> Peidiwn â dymuno i neb

> Flwyddyn Newydd ddrwg,
>   llond y tŷ o fwg
>   ac ysbryd drwg dan y gwely.

Agorwn ddrws i'r flwyddyn,
Mae'r llynedd wedi mynd dros gof
a chilio fel ei chelyn.
Mae heddiw a'i gysuron
a 'fory a'i obeithion.

Felly, fel Josua, anturiwn ymlaen a chroesi drosodd ar dir sych.

Anturiwn ymlaen,
trwy ddyfroedd a thân,
yn dawel yng nghwmni ein Duw;
er gwanned ein ffydd,
enillwn y dydd –
mae Ceidwad pechadur yn fyw.

Yr hen flwyddyn a aeth heibio; mae blwyddyn newydd wedi gwawrio, boed hon yn flwyddyn newydd dda i bawb ohonoch!

Emyn: 91

GŴYL Y PASG

YR ENEINIO YM METHANIA

Gwelais Arglwydd yr arglwyddi – ar lawr
  ar ei lin yn golchi
  â dŵr ei lân dosturi
  fy nhraed satan aflan i.

John Gwilym Jones

Diolchwn, ein Tad, am groeso aelwyd fel y cafodd dy Fab ym Methania gynt:
  – croeso drws agored unrhyw adeg,
  – croeso bwrdd-llawn-ymborth unrhyw bryd.

Diolch am rai fel chwiorydd Bethania a'u brawd;
Am y rhai a rydd sylw i'r gegin a'r parlwr;
Am y bobl a geidw gydbwysedd rhwng gweithred a gweddi;
Am y bobl sy'n parchu'r tendio a'r gwrando.

  Tybed, ein Tad, ai gwenu wnaeth Iesu pan aeth Mair dros ben
  llestri'n llwyr un noson?
  Noson y wledd pan eneiniodd ei draed â'r persawr drutaf –
  llond ffiol o ffortiwn a'r ffiol yn llawn.
  Cymaint ei chariad,
  rhoddodd y cyfan,
  tywalltodd y cwbl i'r diferyn olaf.
  Yr oll a feddai neu ddim,
  a heb falio am sen,
  sychodd ei draed â gwallt ei phen.
  A'i henw sy'n perarogli byth.

  Arglwydd,
  Croesawn Di i gartref ein calon i berarogli'n haelwyd.
  Gweithredwn gariad heb ofni beirniadaeth
  a rhown i Ti o'n gorau heb gyfri'r gost.
Amen.

Darlleniad: Ioan 12: 1-7

JWDAS

Arglwydd, pam oedd Jwdas ymhlith y disgyblion? Tybed na welodd Iesu ei wendid ynteu ai menter ffydd oedd ei ddewis a'i ethol yn geidwad y pwrs? Ni feiddiem ni heddiw ymddiried fel Iesu mewn rhai tebyg i hwn.

Wedi'r bradychu, gwyddom na chafodd dawelwch meddwl. Wedi'r ymgrogi, a roddwyd iddo dangnefedd enaid?

Cusan nid cledd a ddewisodd i wneud ei anfadwaith. Yntau, yr un a fradychwyd wrth brofi'r gwaethaf yn eiriol am orau ei Dad – 'maddau iddynt, oherwydd ni wyddant beth y maent yn ei wneuthur'.

Ond nid felly'r Iscariot. Aeth allan o 'stafell y Swper yn gwbl fwriadol. Cwbl wirfoddol fu'r brad yn yr ardd ac yn gwbl benderfynol, am resymau gwahanol, dewisodd fel Iesu farw ar grocbren.

Arglwydd, gresyn na fyddai wedi oedi a gohirio'i ddiwedd a chael deall mai gwag oedd y bedd yn y graig. Cyn pwyntio bys a'i gondemnio i'r eithaf, bu sawl amgylchiad pan wnaethom ninnau dy wadu, dy adael a throi ein cefn.

Felly, maddau inni, Arglwydd da.

Amen.

Darlleniad: Mathew 27: 3-10
Emyn: 517

HOSANNA A CHROESHOELIER EF

Ar y Groglith rhagrithiol – hwn o hyd,
a ni'n ddim ond meidrol,
awn i ardd y weddi'n ôl
â dwy wefus y diafol.

Karen Owen

Arglwydd, diolch dy fod Ti'n wastad yr un fath.

Er anwadalwch dyn,
Yr un wyt Ti o hyd.

Mor annhebyg ydym ni. Yfory, byddwn yn wahanol i'r hyn ydym heddiw; ac yn wahanol heddiw i'r hyn oeddem ddoe.
Maddau i ni, Arglwydd da, ein bod:
- mor ansefydlog;
- mor oriog;
- mor gyfnewidiol;
- mor ansad

yr un fath yn union â gosgordd Iesu ar Sul y Blodau. 'Roedd difyrrwch i'w gael wrth garpedu'r ffordd â phalmwydd ac 'roedd hebrwng Tywysog i ben ei daith yn gynnwrf a gwefr.
Ond 'roedd Iesu'n wylo.

Cyn distewi sŵn yr *Hosanna* o'r bron,
'roedd cri'r *Croeshoelia*
yn eco cras ar furiau'r brawdle.
Cafodd y dorf yr hyn a geisient.
Ond 'roedd Iesu'n wylo.

Arglwydd, gwared ni rhag ceisio'r hyn a ddymunwn. Boed i ni weld yr hyn sydd ei angen a'th ddilyn Di yn lle ein mympwyon, fel na bo Iesu'n wylo.

Clyw ein gweddi, yn enw Iesu Grist, 'yr un ddoe a heddiw ac am byth'.

Amen.

Darlleniad: Ioan 12: 12-13; a 19: 1-6
Emyn: 272

YR ESGYNIAD

Ein Tad, rywsut neu'i gilydd rhown fwy o sylw i'r croeshoeliad a'r atgyfodiad na'r esgyniad – y digwyddiad rhyfedd hwnnw yn hanes dy Fab.

Fe dâl i ni gofio neges yr esgyniad. O wneud hynny, 'fydden ni ddim mor drist wrth feddwl am gyflwr ei eglwys. 'Rydym yn cwyno a chwyno hyd syrffed fel tiwn gron:

> 'Mae'r cynulleidfaoedd yn heneiddio;'
> 'Chydig o rai ifanc sy'n dod i'r oedfaon;'
> 'Mae y rhan fwyaf ohonon ni wedi britho;'
> 'Anaml y cawn aelodau newydd, ffyddlon.'

Ydi, mae hi'n dywyll arnom ni, 'fedr neb wadu hynny. Arglwydd, atgoffa ni po dywyllaf y nos, yna agosach yw'r wawr. Nid machlud haul sydd o'n blaen wrth ddilyn Iesu Grist; wynebu'r wawr a wnawn ni yng nghwmni Iesu byw.

Cynorthwya ni, felly, i edrych i gyfeiriad mynydd yr esgyniad er mwyn adfer sicrwydd ein cerddediad a hyder ein llygaid.

Atgoffa ni o gomisiwn Iesu: 'Ewch i'r holl fyd a phregethwch yr efengyl'.

Maddau ein bod yn ofni mentro ar ei air. Gwna ni'n fwy cadarnhaol yn ein geiriau a'n gweithredoedd. Gorau cam y cam cyntaf, os mai cerdded gyda Thi a wnawn.

Dylem gofio addewid dy fab: 'Yr wyf fi gyda chi bob amser' – a thorrodd o erioed mo'i air. Mae mor driw heddiw i'w addewid ag ydoedd gynt i'w ddisgyblion.

Ydi, mae Iesu ym mhobman yr un pryd ac yma yng Nghymru gyda ni. Nid ofer ein tystiolaeth o Sul i Sul, beth bynnag fo'n hoed. Na, 'does dim angen i ni gwyno a digalonni, Arglwydd. Ein gorwelion sy'n rhy blwyfol. Ledled y byd mae rhai ifanc yn torchi llewys wrth lafurio yn dy deyrnas Di a'th Fab yn gwmni iddynt lle bynnag y maent.

Da rhoi sylw teilwng, Arglwydd, i esgyniad Iesu Grist.

Amen.

Darlleniad: Luc 24: 50-53 ; Actau 1: 6 – 11.
Emyn: 577

Y PASG PELL HWNNW

Ein Tad, 'dydi'r Pasg heddiw yn ddim byd i'r hyn oedd hi ar y Pasg pell hwnnw ddwy fil a mwy o flynyddoedd yn ôl. Mae pawb yma yn dwt ac yn daclus, yn dawel a dwys, yn ddistaw ac yn ddigynnwrf. Nid felly yr oedd hi ar y Pasg pell hwnnw. 'Roedd y brifddinas dan ei sang. Pobl o bob cyfeiriad yn heidio i'r ddinas ac i mewn i'r Deml i gofio a diolch am i Ti arwain eu cyndadau o'u caethiwed allan i erwau agored yr anialwch a'u traed yn rhydd.

Ond ar y Pasg pell hwnnw daeth Iesu dy Fab i'r ddinas, i'r Deml, a dweud nad oedd neb yn rhydd, fod pawb yn gaeth – yn gaeth i draddodiadau dwl, yn gaeth i arferion arwynebol, yn cerdded hen rigolau a'u traed heb fod yn rhydd, yn gaeth i'r awch am arian a hynny drwy dwyll yn y Deml o bob man.

Sôn am gorwynt, sôn am dymestl, sôn am gynnwrf ar y Pasg pell hwnnw. Ŵyn yn brefu, pobl yn baglu, byrddau â'u traed i fyny, arian yn rowlio fel marblis ar lawr y Deml a cholomennod yn hedfan yn ffrwcslyd o gwmpas y lle. Ac yntau, Iesu, yng nghanol y plu a'r brefu, yn hysio pawb allan am iddynt droi Tŷ ei Dad yn ogof lladron.

Heddiw, yma yn nhawelwch dy Dŷ, ein Tad, fe gofiwn am y Pasg pell hwnnw.'Does neb yn heidio bellach o bob cyfeiriad i'r Deml. Mae pawb yma ynghyd yn ufudd-lonydd, yn dawel a threfnus. Ond mae'r ychydig brwdfrydig yma'n ddigon, fel y dyrnaid disgyblion hynny a welodd ei ddwylo glân, di-graith yn torri'r bara a thywallt y gwin ar y Pasg pell hwnnw. Ac ar y Pasg pell hwnnw morthwyliwyd hoelion i'r dwylo glân hynny er mwyn ein harwain ninnau o'n caethiwed ein hunain; o gaethiwed cenfigen, malais, dichell a phob rhyw bechod cudd.

Diolch i Ti, ein Tad, bod y Pasg pell hwnnw yn agos. Hwnnw yw ein Pasg ni yn awr.

Amen.

Darlleniad: Marc 11: 15-19
Emyn: 548

Y PENTECOST

GŴYL Y PENTECOST

Ein Tad, mae'n anodd gwybod beth i'w ddweud o'r newydd ar Sul y Pentecost.

'Rydym yn ein hailadrodd ein hunain o flwyddyn i flwyddyn drwy sôn am y tafodau tân a'r gwynt nerthol yn rhuthro. Oedd yna fflamau tân go iawn a gwynt stormus yn llenwi'r oruwch-ystafell yn un o strydoedd cefn Jerwsalem lle'r oedd y disgyblion wedi dod at ei gilydd i weddïo? Onid dweud y mae Llyfr yr Actau fod yno sŵn *fel* gwynt a thafodau *fel* tân yn ymddangos? Ai ffordd o ddweud ydoedd fod yr Ysbryd Glân wedi gwneud y disgyblion yn bwerus a'u bod ar dân eisiau dweud bod Iesu'n fyw? Maen nhw'n gymariaethau rhagorol.

Fe wnaed pob un o'r disgyblion gwangalon yn nerthol a grymus ac 'roedd pawb yn rhyfeddu at danbeidrwydd eu brwdfrydedd.

Oes rhaid i'r Ysbryd Glân ddod yn ddramatig fel hyn bob tro Arglwydd – a ' rhwygo'r awyr â'i daranau a chreu cyffroadau mawr?'

Tybed ai neges hanes Elias sy'n addas i ni heddiw? 'Doeddet Ti ddim yn y gwyntoedd nerthol bryd hynny. 'Chlywodd y proffwyd mo'th lais yn llefaru drwy'r ddaeargryn a ysgydwodd fynydd Horeb i'w sail. Wedi'r cynnwrf mawr, bu distawrwydd llethol a dyna pryd y dewisaist siarad ag o a'i wneud yn wrol a dewr.

Ai felly y deui atom heddiw – rhoi inni 'anadliadau bywyd' heb y gwyntoedd cryfion?

Derbyniodd Iesu Grist yr Ysbryd Glân yn ddigynnwrf. Daeth arno fel colomen yn rhuglo'i hadenydd yn dawel wrth ddisgyn i'r ddaear. Hwyrach mai felly y derbyniwn nerth yr ysbryd heddiw a ninnau heb sylweddoli hynny. Mae'n siŵr fod lle i'r naill ddull a'r llall.

Diolch i Ti, Arglwydd, bod modd gweld ffrwyth yr ysbryd ym mywydau Cristnogion dirodres. Tystion diymhongar i nerth yr Ysbryd Glân. Gweddïwn ninnau am gael yr ysbryd hwn ynom fel y byddom yn llawn goddefgarwch, tangnefedd, llawenydd, daioni, addfwynder, caredigrwydd a chariad.

> Ysbryd graslon, rho i ni
> fod yn raslon fel tydi.

Amen.

Darlleniad: Actau 2: 1-13. Galatiaid 5: 22-23
Emynau: 576, 577

DIOLCHGARWCH

Wedi'r rhodd a'r daer weddi, – wedi'r dweud
Wedi'r dydd o foli,
Rhai mwy 'nawr yw'n rhwymau ni,
Byw a diolch heb dewi.

R. J. Roberts

Mae hi'n Sul y Diolchgarwch eto. A dyma ni unwaith yn rhagor yn dathlu fel y gwnaeth ein rhieni a'n cyndeidiau gynt. 'Roeddent hwy yn deall i'r dim mai mis bendithio'r cynhaeaf yw'r Hydref; mis i ddiolch am roddion y tir a'r cynhaeaf. Ond 'dydi'r cynhaeaf ddim fel y bu hi, meddai rhai ohonon ni. Mae patrymau amaethu wedi newid cymaint dros y cenedlaethau. 'Does dim angen cymaint o fôn braich y dyddiau hyn – on'd oes yna freichiau metel ac offer otomatig i wneud popeth bron heddiw? 'Does dim angen cywain cymorth o fferm i fferm a rhwng cyfaill a chyfaill i gynaeafu a medelu fel y bu. 'Does ryfedd, yn y dyddiau hynny, bod oedfa ddiolchgarwch yn parhau am wythnos. 'Roedd yn gyfle cyhoeddus i amaethwyr ddiolch i'w gilydd am gymorth parod di-gŵyn ac i fendithio'r cynhaeaf a ddaeth gan Dduw gyda'i gilydd. 'Roedd dod ynghyd i addoliad a chyd-ddiolch yn gam cwbl naturiol i amaethwyr ar ôl i gymdogion gyd-gynaeafu a chyd-gymdeithasu ar gaeau, iard a chegin fferm.

Mae'r arferiad yn colli ystyr i rai nad ydynt yn arfer trin y tir a phan mae ffermydd teuluol cefn gwlad yn prinhau neu'r dechnoleg fodern yn hyrwyddo'r gwaith.

Olion arferion y diolchgarwch sy'n aros heddiw wrth i blant ddod â'u basged fach o afalau ac orennau a grawnwin neu lysiau fel tatws a moron ar Sul Diolchgarwch. Ydi, mae hyd yn oed yr arferiad hwn o ddod â ffrwythau a llysiau'r tir i'w bendithio ar fwrdd Duw yn ystod yr oedfa yn prinhau hefyd. Mae rheolau iechyd a diogelwch ein dyddiau ni yn ein rhwystro, mewn mannau, rhag rhannu'r ffrwyth i gartrefi'r henoed neu ward mewn ysbyty.

Dewch i ni heddiw atgoffa'n gilydd bod angen i ni adnewyddu diolch ein cyndeidiau ddoe. Oes, mae lle i ddiolch gennym o hyd i'n gilydd ac i Tithau, Arglwydd.

Deuwn felly, o gwmpas dy fwrdd Di i ddiolch am dy roddion ar hyd y flwyddyn.

Bendithia'r oedfa a'r addolwyr, yn blant ac oedolion, yn deuluoedd, ffrindiau a chymdogion.

Diolch ei bod hi'n Sul y Diolchgarwch eto a'n bod ninnau blant y mileniwm newydd yn adnabod yr angen i ddod at ein gilydd i ddiolch. Cynorthwya ni i ddiolch i'n gilydd, a chyda'n gilydd am dy roddion hael Di. Gwna i ni ddiolch 'heb dewi'.

Amen.

Darlleniad: Salm 100
Emyn: 65

GWEDDI DYDD DIOLCHGARWCH

Er a wnawn gyda'n dwrn ni – a'n treisio
trahaus i ymborthi,
gwn, ein Tad, cawn gennyt ti
law annwyl dy haelioni.

John Gwilym Jones

Ein tad, diolch i Ti ei bod hi'n Sul Diolchgarwch eto. Diolch ein bod ninnau, blant y mileniwm newydd, yn adnabod yr angen i ddod at ein gilydd i ddiolch. I ddiolch i'n gilydd, a chyda'n gilydd, am dy roddion hael Di:

O! Dad, yn deulu dedwydd – y deuwn
Â diolch o *newydd*

y Diolchgarwch hwn.

Mae hi'n anodd, Dduw, i ni ddiolch i'n gilydd mewn byd lle mae'r sgrin cyfrifiadur yn ddolen gyswllt rhyngom. I'r ifanc mae cwmnïaeth yn aml yn golygu cyswllt clic ar ôl clic ar *MSN* a *Bebo* heb yngan gair, heb agor ceg na symud tafod.

Bellach, wrth i achlysuron o gydweithio cymdogol ddiflannu, 'dydi afiaith a chwmnïaeth y cynaeafu gynt yn ddim ond torri prin-ddau-air gyda'n gilydd. Heddiw, sgwrs gyfarch y mynd-a-dod sydd gennym ni, yr 'helo', 'bore da', 'noson oer', 'hwyl rŵan', wrth fynd i'r car i weithio ac wrth gyrraedd yn ôl. Oes y dweud diddim a'r gadael ffwr-bwt.

Wrth fyw mewn byd sy'n annog annibyniaeth, 'rydym ni'n troi'n gymdogaeth hunangynhaliol wrth siopa tros y we, wrth deithio mewn ceir, ac yn colli cyfle i gyd-gwrdd, cydweithio a helpu'n gilydd – y math o gydgyfarfod a chydweithio sy'n gwneud i ni deimlo'n ddiolchgar.

Arglwydd, rho i ni ysbryd ac afiaith y cynaeafu gynt dros gyfnod y diolchgarwch yma trwy chwilio am gyfleoedd i ni gyd-ddiolch gyda'n gilydd yn ein byw a'n bod bob dydd fel cymdogion ac fel Cristnogion:

O! Dad, yn deulu dedwydd – y deuwn
Â diolch o *newydd*

i Ti'r bore hwn wrth i ni ddathlu Diolchgarwch.

Ein Tad, bendithia ein hymdrech i ddod at ein gilydd i ddiolch o'r newydd i ti heddiw a thro ein hymdrech flynyddol yn ymdrech syml i ddiolch i Ti bob dydd o'r flwyddyn.

Amen.

Emyn: 135

GŴYL Y GENI

CAESAR AWGWSTWS

Caesar Awgwstws. Ydach chi isio ei enw'n llawn? 'Roedd ganddo gynffon o enwau: Gaius Julius Caesar Octavianws Awgwstws. Ac fel ei enw, 'roedd ganddo glamp o drwyn hefyd. *Roman nose* go iawn. 'Roedd hwn â'i drwyn ym musnas pawb, a gwae pwy bynnag fyddai'n sbïo'n gam a gwgu arno!

Gaius Julius Caesar Octavianws Awgwstws. Enw mawr, ond pen bach. Dim ond pen bach fasa'n dweud ei fod yn fistar ar bawb a phopeth ac mi dd'wedodd Caesar Awgwstws hynny amdano'i hun. Ac i fod yn fistar ar bawb 'roedd yn barod i wneud unrhyw beth. Y gair ffasiynol heddiw ydi *sleaze*, yntê – tynnu pobl trwy'r mwd a'r baw, rhoi eich dillad budr ar y lein i bawb eu gweld nhw. 'Roedd Caesar Awgwstws yn giamstar ar wneud hynny.

Chwarae plant mae'r gwleidyddion heddiw wrth ymyl Caesar Awgwstws. Mi f'asa gan bapurau *tabloid* heddiw lawer i'w ddysgu gan Caesar Awgwstws. 'Roedd am wybod be' 'di be' a phwy 'di pwy. Ac i gael ei ffordd ei hun mi f'asa hwn yn rhoi eich pen chi mewn *toilet* ac yn eich boddi chi mewn *sespwl*. 'Sglyfath o ddyn oedd o.

'Roedd hyd yn oed Herod ofn pechu yn ei erbyn ac mae hynny'n dweud rhywbeth, on'd ydi? Ac i wneud petha'n waeth, 'roedd o yn un garw am y geiniog. Mi f'asa'n cymryd eich ceiniog olaf chi i'w gadw'i hun mewn steil. Fo ddaru orfodi'r sensws ar yr Iddewon a'u gorfodi i dalu trethi. Dyna pam yr aeth Joseff hefo Mair i Fethlehem. 'Roedd yn rhaid i bawb fynd i'w ddinas ei hun, i fro ei febyd, i dalu'r dreth, ac un o hogia' Bethlem oedd Joseff. Ac wedi cyrraedd, 'doedd dim lle yn y llety. 'Roedd yn rhaid talu crocbris am wely a brecwast. I hen fyd materol, caled fel hyn y ganwyd Iesu Grist. 'Dydi hi fawr gwell heddiw, am wn i.

Ia, dyddiau du oedd hi pan oedd Caesar Awgwstws yn fistar ar bawb a phopeth. Ond 'roedd 'na seren newydd yn goleuo'r tywyllwch hwnnw a chofiwch hyn – mae'n dal i ddisgleirio o hyd.

Darlleniad: Luc 2: 1-5
Emyn: 470

SEREN NEWYDD

Sut ydach chi i gyd i lawr ar y ddaear 'na? Cyn imi ddechrau holi a stilio mwy, gwell imi 'nghyflwyno fy hun – y fi ydi Seren Bethlehem ac mae 'na filoedd ar filoedd ohonon ni'n goleuo'r nos. Ond mi 'rydw i'n seren arbennig. 'Dach chi'n gweld, mi fedra i siarad yn ogystal â wincio arnoch chi!

Nid rhyw seren dinsel yn hongian ar linyn arian ar frig y goeden 'Dolig ydw i. Nid seren smalio 'chwaith, yn cael ei goleuo gan drydan neu fatris. 'Fedr seren felly ddim taflu golau o ffenest siop i ben draw stryd heb sôn am allu goleuo'r ffordd bob cam i Fethlehem. Na, 'dw' i'n seren go iawn.

Ond wyddoch chi be'? 'Dw i'n andros o hen. Tua dwy fil o flynyddoedd yn ôl, 'roeddwn i'n seren newydd sbon danlli, ac yn wir yr i chi, 'dw i'n dal i oleuo o hyd. Os nad ydach chi'n fy nghoelio fi, ewch allan i'r ardd gyda'r nos a sbïwch i fyny tua'r gofod ac mi welwch chi bob un o fy mhigau'n sgleinio. Ond pa seren ydw i, tybed? Dim ots. 'Dach chi'n gweld, nid yn unig i fyny yn yr awyr uwchben y gwelwch chi fi ond 'dw'i hefyd y tu mewn i'ch meddyliau chi yn goleuo ac yn eich arwain, nid ar lonydd a phriffyrdd, ond drwy bob profiad sy'n digwydd i chi. Edrychwch arna i drwy lygaid ffydd ac mi gewch chi eich arwain yn ddiogel i Fethlehem y Nadolig hwn. Os ydach chi'n dymuno hynny, yna mae'n siŵr o ddigwydd. Dyna 'ngwaith i – goleuo'r ffordd i bawb sydd am fynd at y preseb i weld y baban bach a anwyd i fod yn Oleuni'r Byd. Mae'r goleuni hwnnw yn fwy llachar na goleuni'r holl sêr i gyd hefo'i gilydd.

Cofiwch be' ddwedodd plentyn y Nadolig ar ôl iddo dyfu – dweud eich bod chitha' hefyd yn oleuni'r byd.

Darlleniad: Mathew: 2: 1-2
Emynau: 451, 458

Gweddïwn

Ein Tad, diolch i Ti am fod yn seren gobaith, am beidio â diffodd dy olau y tu mewn i bob un ohonom. Ti yw Goleuni'r byd. Ti yw ein goleudy.

Gwna i ni weld dy lewyrch yng nghanol masnach y Nadolig hwn, yng nghanol tywyllwch personol pob un ohonom; yng nghanol düwch ein hofnau cudd a'n pryderon bach.

Rho i ni lygaid i weld dy oleuni pan ydym ni'n methu dal ein tafodau; yn methu maddau; yn methu bod yn onest; yn methu gweld y gorau mewn pobl sy'n ein gwylltio.

Agor ein llygaid i weld pelydryn bach o'th olau yng nghanol cysgodion ein bywyd. Maddau i ni am fod yn fwriadol ddall ar brydiau i'th oleuni di.

Ti yw cannwyll llygaid pob goleuni. Ond fe wyddom na allwn edrych i fyw dy lygaid gan y gallwn gael ein dallu gan ddisgleirdeb dy ddaioni Di.

Gwna i ni weld pren y groes ym mhren y crud wrth ddathlu'r Nadolig eleni. Gwna i ni gofio beth ddywedodd plentyn y Nadolig ar ôl iddo dyfu'n ddyn sef ein bod ninnau hefyd yn oleuni'r byd – yn lampau bach i'th belydrau Di. Cynorthwya ni i daflu dy oleuni Di y Nadolig hwn.
Amen.

Emyn: 417

CANHWYLLAU BETHLEHEM

Dyma gerdd-fyfyrdod yn dilyn ymweliad â mangre'r geni ym Methlehem.
Yno, mae'r ymwelydd yn wynebu canhwyllau di-ri ac ysblander aur a
gemau.

Ofnem anadlu rhag diffodd eich fflamau gwan.
Ond digon y tafodau tân
i oleuo'r grisiau garw
a naddwyd o'r graig;
ac ym mhelydrau eich golau eiddil
disgynnem o gam i gam
yn ofalus a distaw
at fangre'r geni.
Yno, yng nghanol 'sblander aur a gemau
nid oedd i'n hatgoffa o'r wyrth
ond arogl cŵyr
a dreiglai fel dagrau
o lygaid y fflamau.
Cŵyr canhwyllau Bethlehem
yn llosgi uwch golau'r cread yn y crud –
Egwan y golau fel y baban ei hun;
mor simsan â'r gwelltyn yn ei law.
Ond methodd tywyllwch y canrifoedd
ddileu gwawl pelydrau'r preseb;
ac ni all y gwyntoedd a ddaw
ddiffodd fflamau canhwyllau Bethlehem.
Erys profiad eich fflamau
ac arogl eich cŵyr.

LLAIS GABRIEL

Heno i ni, daeth o'r newydd – rhyw olau
ar yr ŵyl ddigrefydd;
seraff a ŵyr nosau'r ffydd,
Duw ei hun ar adenydd.

Karen Owen

Fyddech chi'n deud fy mod i'n debyg i angel? Na, meddech chi? Ond pam lai? 'Rwy'n gwybod nad oes gen i ddim gwallt hir *blonde* a 'dydw i ddim yn gwisgo coban wen at fy nhraed 'chwaith fel aelodau Gorsedd y Beirdd. Yn amlach na pheidio mi fyddai'n gwisgo fel chi – *trainers* am fy nhraed a chrys-t ar fy nghefn. Oes rhaid i angel gael cylch o olau disglair o gwmpas ei ben neu bâr o adenydd aur?

Nid rhyw dylwythyn teg ydi angel yn hedfan yn ysgafn fel iâr fach yr haf. Nid rhyw fath o *superman* na *batman* 'chwaith yn ei jetio hi drwy'r awyr a'r gwagle. Na, mae traed angel yn solet ar y ddaear ac yn amlach na pheidio mae at ei bengliniau yng nghanol baw a budreddi'r hen fyd yma. 'Dydi angylion Duw ddim yn sidêt ac yn ofni baeddu eu dwylo wrth wneud eu gwaith.

Gyda llaw, fy enw i ydi Gabriel ac ystyr Gabriel ydi *'dyn Duw'*. Dyn, sylwch, ac nid rhywun yn perthyn i *space fiction* neu i fyd hud a lledrith. Rhywbeth yn debyg ydi ystyr y gair 'angel' hefyd – *un wedi ei anfon gan Dduw* neu *negesydd Duw*. Rhyw fath o *Bostman Pat* ysbrydol, efallai. Beth bynnag ydi cynnwys unrhyw lythyr a gawn ni, newyddion da neu ddrwg, mae'n rhaid i'r postmon fynd â'r llythyrau i ben eu taith. Felly ninnau hefyd, negeswyr Duw, mae'n rhaid i bob angel fynd â'r neges adref a'i gyhoeddi i'r byd.

Ddwy fil o flynyddoedd yn ôl, mi ges i waith braf a dymunol i'w wneud sef dweud wrth ferch ifanc o'r enw Mair y byddai'n rhoi genedigaeth i faban bach a fyddai ryw ddydd yn dod yn Waredwr y Byd. Dyna'r union neges, hefyd, wnes i ei rhoi i fugeiliaid oedd yn gwarchod eu praidd rhag bleiddiaid a lladron yn y bryniau uwch ben Bethlehem.

Mae amser maith ers hynny ac mae'n hen bryd i mi ymddeol. Dyna pam 'rydw i yma rŵan i ddweud hyn wrthach chi: os ydach chi'n ddilynwyr y baban a anwyd ym Methlehem, yna chi fydd yr angylion o hyn ymlaen. A chofiwch chi, 'dydi o ddim yn waith dymunol bob amser, nac ydi'n wir.

Gwaith digon annymunol oedd gan y Fam Teresa yn crwydro palmantydd Calcutta i ymgeleddu'r tlodion ar fin marw a'u cyrff druan yn friwiau i gyd, yn llawn crawn a chasgliad drewllyd. Ond wnaeth hi ddim troi ei thrwyn a'u hanwybyddu. 'Doedd ganddi ddim ofn baeddu ei dwylo. 'Doedd ganddi hi ddim adenydd 'chwaith a go brin y byddai ei chorff bychan eiddil yn ddigon cryf i gario adenydd yn sownd wrth ei hysgwyddau. Ond, yn wir i chi, yr oedd hi'n angel.

Mae pawb sy'n helpu trueiniaid y byd yn angylion Duw. A wyddoch chi beth ydi'r neges y maen nhw'n ei chyhoeddi? 'Gwnewch chwithau yr un fath.' Mae bod yn angel yn golygu dweud, gwneud, llefaru a gweithredu.

Oes, mae yna filoedd o angylion yn ein byd ni heddiw ond am nad oes ganddyn nhw adenydd 'dydi pobl ddim yn sylweddoli mai angylion ydyn nhw. 'Ydych chi yn un o angylion Duw?

Darlleniad: Luc 1: 26-31
Emyn: 438

GWRAIG Y LLETY

Mi rown i unrhyw beth am gael joban fach handi – yr un fath â'r athrawon 'ma – dechrau am naw a gorffen am hanner awr wedi tri ac wythnosau o wyliau. Ond mae'n rhaid i mi weithio drwy'r ha' o fore gwyn tan nos. Rŵan, mae'r busnes ar ei ora' yn ystod mis Awst, a rhaid i mi wneud yn fawr o fy nghyfla. Bydd, bob tamad.

Be' 'dw' i'n wneud? Wel, cadw fisitors, siŵr iawn. Cofiwch, 'does gen i ddim gwesty tair seren. Gwely a brecwast 'dw' i'n 'i 'neud rownd y flwyddyn. Ond mae 'na gynigion arbennig i fisitors y gaea'. 'Fedra i ddim fforddio colli 'r un ddima goch, na fedra i wir. 'Dydi'r trethi ar yr hen le 'cw mor ddrud a 'fedra i ddim cadw mwy na naw ar unwaith – tair llofft ddwbl a thair sengl sy' gen i. Ac mae'r gŵr a finna'n byw mewn fflat bach digon del yn y selar.

Ond un 'Dolig 'roedd yn rhaid i mi hyd yn oed osod fy fflat yn y selar ac mi gysgodd y gŵr a finna yn y gegin. Be' arall fedrwn i 'wneud,

76

'te? Gormod o arian i'w golli, on'd oedd! 'Roedd pobl yn heidio o bobman i Fethlehem i dalu trethi i'r dyn 'na o Rufain – y . . . be' 'di 'i enw fo . . . y . . . y . . . Caesar. Wel i chi, y Nadolig hwnnw, wedi i bawb setlo, dyna gnoc ar ddrws y cefn. Pwy oedd yno ond gŵr a gwraig yn chwilio am le i aros. 'Roedd hi dipyn yn iau na fo. Ew, 'roedd gen i biti drosti – y beth fach. 'Roedd hi'n anfarth o fawr – 'dach chi'n gweld, 'roedd hi'n disgwyl babi unrhyw funud, f'aswn i'n ei ddeud, ac 'roedd hi wedi ymlâdd. Ond be' wnawn i – 'doedd y tŷ 'cw'n llawn dop. 'Fedrwn i mo'u hel nhw'n ôl i'r stryd. Mi gynigais y stabal yng nghefn y tŷ yn rhad ac am ddim iddyn nhw. 'Welais i 'rioed ddau mor ddiolchgar. Ond dyna'r camgymeriad mwya' 'nes i 'rioed. 'Roeddwn i'n meddwl mai hipis oeddan nhw. 'Tawn i'n gwybod pwy oeddan nhw, a be' oedd am ddigwydd y noson honno, mi f'aswn wedi mynd i gysgu i'r stabal fy hun a rhoi'r gegin iddyn nhw.

Mi gollais i fy nghyfle a 'dw' i'n difaru byth. Y tro nesa y bydd rhywun yn curo wrth eich drws chi – peidiwch â bod yn fyrbwyll–cyfrwch ddeg, rhag i chitha hefyd golli'ch cyfle.

Darlleniad: Luc 2: 3-7
Emynau: 450, 457

MAIR

Ew, 'dw' i'n falch o'r cyfle 'ma i ddweud fy mhwt. 'Fydda 'na ddim 'Dolig o gwbl oni bai amdana i. 'Dach chi'n gweld, y fi 'di fam o. Ac mi 'roedd hi'n fraint cael bod yn fam i Iesu. Oedd, mi 'roedd o'n rhywun arbennig. Ond mae pob mam yn dweud hynny, meddach chitha. Gwyn y gwêl y frân ei chyw, ynte. Digon gwir. Ond 'dw' i'n dal i ddeud, mi oedd Iesu'n wahanol. Mi ges i lond tŷ o blant wedyn, cofiwch, Iago a Joses a Jwdas a Seimon, heb sôn am y genod. 'Doeddwn i ddim yn meddwl dim llai ohonyn nhw ond, fel y d'wedais i – 'roedd Iesu yn wahanol. Eto, 'roedd o mor ddireidus ag unrhyw hogyn arall. Mi wylltiodd Jo, Joseff i chi – y gŵr 'dw i'n 'i feddwl – mi wylltiodd yn gacwn unwaith efo Iesu. 'Roedd Jo wedi gwneud cwpwrdd derw hardd i gwsmar cyfoethog. Ond pan ddaeth y cwsmar i nôl y cwpwrdd, 'roedd yn llawn o dyllau pryfed ac fe wrthododd ei brynu. Iesu, 'dach chi'n gweld, oedd wedi bod wrthi efo hoelen yn rhoi tyllau bach crwn yn y cwpwrdd. Do, fe fu'n helynt a hanner acw'r noson honno. Oedd, 'roedd yn gwbl naturiol fel pob hogyn arall a'i lygaid yn llawn direidi. Ond 'roedd 'na ryw dristwch yn ei lygaid o hefyd.

'Fedra fo ddim diodda gweld neb yn cael cam. On'd oedd o'n mynd allan o'i ffordd i gymysgu a gwneud ffrindia hefo'r digartref ac yn ysgwyd llaw efo rapsgaliwns a gwahangleifion a finna ofn iddo gael afiechyd. Heddiw, yn eich dyddia' chi, mae'n debyg y byddai'n gwneud yr un peth efo rhai sydd wedi cael *Aids*. Un fel 'na oedd o, yn teimlo i'r byw dros bawb oedd yn diodda. Mi welais ddeigryn yn ei lygaid o unwaith wrth weld bwli'r pentra yn rhoi ei draed ar bry copyn a'i wadnu i'r llwch.

Ond 'anghofia i fyth mohono'n edrych i fyw fy llygaid ac yntau, druan bach, yn hongian ar yr hen groes greulon 'na. 'Roedd dagrau yn 'i lygaid y tro hwnnw hefyd. Ond coeliwch chi fi, nid dagrau hunandosturi oeddan nhw. Wylo dros ei fam oedd o, a dros y bwlis mawr, dros ei elynion a'i croeshoeliodd o. Oedd, mi 'roedd o'n rhywun arbennig, er mai fi sy'n deud. Fe ddylwn i wybod. Fi ddaru 'i fagu fo, wedi'r cwbl, fi 'di 'i fam o.

Emyn: 435

MYFYRDOD IESU

Mi fûm yn fach fel bawd,
yn tyfu'n ara' deg oddi mewn i mam
ac yn gorwedd yn dawel
yn y tywyllwch braf.

'Doedd neb ond Ti, Dduw,
yn fy adnabod.

Cyn fy ngeni ym Methlem,
'roeddet Ti'n gwybod
sut un fyddwn i
cyn i'm trwyn bach smwt dyfu.
Cyn agor fy llygaid
buost yn gofalu amdana i,
ac yn rhoi llif o waed
trwy bibell i mewn i'm corff bach
er mwyn fy nghadw'n fyw.
'Roeddwn yn ddiogel
am naw mis.
Ac yna, mi ges fy ngeni.
Diolch i Ti am ddewis mam.
Fe'm cariodd yn ofalus o'i mewn
i mi gael tyfu'n dawel.

Diolch i Ti am fy ngeni i'r byd
i bawb gael fy adnabod
a'th weld Tithau'r un pryd.

Emyn: 478

GŴYL BLODAU, COED A PHLANHIGION

Wnaethoch chi erioed feddwl y gellir cyflwyno neges gŵyl grefyddol
trwy flodau yn hytrach na geiriau a chyfleu'r genadwri trwy
blanhigyn neu frigyn o goeden?

Mae i goed a phlanhigion eu hiaith eu hunain a gall y blodau siarad
heb lefaru'r un gair.

Weithiau, gwell na litani a chân, yw côr o eirlysiau 'oll yn eu
gynnau gwynion' yn plygu pen mewn gweddi.

Ar Fawrth y cyntaf, ni ellir rhagori ar lond llestr o Gennin Pedr
a ffanffer eu hutgyrn aur yn cyhoeddi Gŵyl Dewi.

Y Lili sy'n hawlio'r Pasg, a glendid ei phetalau gwyn yn atgoffa'r addolwyr o burdeb a bywyd dilychwin yr Un a fu farw dros bechodau'r byd.

Yn yr Hydref, cyn cwymp y dail, mae llysiau a ffrwythau ar Fwrdd y Cymun yn datgan yn glir y dylem ddiolch am roddion tymhorol a bendithion Duw ar hyd y flwyddyn.

A beth am Ŵyl y Geni? Y goeden Nadolig yw'r symbol wrth gwrs! Wel, ie a nage. Coeden fenthyg o'r Almaen yn perthyn i Oes Fictoria yw'r goeden Nadolig, mewn gwirionedd. Daeth i'n gwlad yn sgîl y Tywysog Albert a'i gosododd a'i haddurno yng Nghastell Windsor tros y Nadolig.

Ond ymhell bell cyn hynny coeden arall a addurnai gartrefi ein gwlad yng nghyfnod di-flodau'r Nadolig. A'r goeden honno oedd y gelynnen – y gelynnen 'a'i gwanwyn yng nghanol gaeaf'.

Cristioneiddwyd y gelynnen. Daeth pren cysegredig yr hen dderwyddon paganaidd yn bren tystiolaeth aberth Iesu Grist. Ei dail fel y goron ddrain yn bigog ac yn tynnu gwaed a'r aeron coch o liw gwin y cymun yn symbol o'r gwaed a dywalltwyd trosom ni.

Pren, canmolus, gweddus, gwiw
A'i enw yw y gelynnen.

Rhowch sbrigyn o'r celyn coch
Ar y drws yn ir drosoch.

Oes, mae i flodau a choed a phlanhigion eu hiaith eu hunain. Gadewch i'w geiriau mud addurno'ch aelwydydd y Nadolig hwn.

TRADDODIADAU'R NADOLIG

'Oes gwerth ysbrydol i arferion a thraddodiadau Gŵyl y Nadolig?

Dechrau'r cwbl oedd gwewyr esgor merch ifanc yn ei harddegau ac yng ngeiriau'r mab a anwyd, 'wedi'r geni ni chofir y gwewyr ddim mwy gan gymaint y llawenydd'.

Hawdd dadlau na chofir bellach wewyr y geni yng nghanol y llawenydd. Gorfoledd ac nid gwewyr sy'n nodweddu hen arferion ac atgofion Gŵyl y Nadolig oherwydd o flwyddyn i flwyddyn genir Crist drachefn a'i ddodi ym mhreseb calonnau'r credinwyr. Am hynny, trown at Dduw a dweud

> Bob tro y llenwi newydd grud
> fe roi ail gynnig eto i'r byd.

Os dyna sy'n gwneud i'r ŵyl befrio o lawenydd, yna mae'r cyfan yn gysegredig –

- y carolau a'r cracyrs;
- y preseb a'r anrhegion;
- y Ceidwad a'r cardiau;
- addewidion ac addurniadau;
- yr ysbrydol a'r materol, y naill a'r llall yn rhan o'r dathlu

> Canys mab a aned i ni
> mab a roed i ni.

Ond cofio'r gwewyr ac nid y gorfoledd a wnâi'r Piwritaniaid dros dair canrif a hanner yn ôl. Tynnwyd y lliwiau o lawenydd yr ŵyl a'i gadael yn llwyd ei gwedd. I'r Piwritaniaid, pechod oedd pleser a chwarae'n troi'n chwerw, ac ofergoel oedd goleuo'r canhwyllau a'r allor i gofio geni 'y mab a roed i ni'.

Heddiw, rhaid gwarchod y fflamau rhag eu diffodd gan wynt difaterwch. Rhaid gwylio a chadw ansawdd y miri a'r hwyl i amlygu ystyr yr ŵyl i blant yr oes fodern. Rhaid dathlu'r ŵyl yn ysbryd y 'bachgen a aned i ni'.

Mae a wnelo'r Nadolig nid yn unig â'r diwrnod ei hun. Mae a wnelo hefyd â'r gwyliau i gyd – ymlaen at droad y rhod pan mae'r dyddiau'n ymestyn heibio i'r Calan ac yn camu dros y trothwy i'r flwyddyn newydd a throedio drwy'r misoedd i ddathlu Nadolig arall.

Mae un Nadolig ar ôl y llall yn adnewyddu'r ysbryd sy'n tyneru calonnau. Gwna i ni gofio mai dedwyddwch yw rhoi yn hytrach na derbyn. Dyna sut y cedwir lliw a llawenydd, cân a gorfoledd, a gwerthoedd ysbrydol arferion yr ŵyl.

Emyn: 443

SYNAU A SAWR Y NADOLIG

'Ydych chi'n cofio synau a sawr eich Nadolig cyntaf?

Ai Nadolig ydoedd pan lifai'r golau trwy ffenestri hirion y capel i sirioli'r nos? Ai Nadolig ydoedd pan glywid gorfoledd canu cynulleidfaol 'O deuwch ffyddloniaid ...' dros donfeddi'r radio? Ai Nadolig lleisiau cantorion y plygain ydoedd yn llafarganu'n bersain? Ai Nadolig gwyn ydoedd pan ddisgynnai'r plu eira i hyfrydwch 'Dawel Nos'?

Mae i bob Nadolig atgofion y llygaid a'r glust fel hyn. Ac mae i bob Nadolig hefyd atgofion sawrus y ffroenau.

Ai Nadolig arogl rhost yr ŵydd ydoedd yn treiddio drwy'r tŷ yn rhagflas o'r wledd i ddod? Ai Nadolig yr arogleuon sawrus ydoedd – yr orennau a'r marsipán, y mins peis a'r ffowlyn, y taffi a'r cyflaith, y sbeisys a'r sieri?

Beth yw Nadolig y plentyn heddiw? Beth yw lliw a sawr a synau eu Nadolig hwy?

Ai cymysgfa ydyw o nodwyddau'r goeden bîn, fflachiadau neon y goeden ac arogl y twrci tew a chrac y cracyr?

Gobeithio y caiff oedolion yfory fendithion y Nadolig Cyntaf Un wrth gofio synau, lliwiau a sawr Nadolig eu plentyndod hwy.

Emyn: 468

MAE ANGEN NADOLIG

Yn y dechreuad . . .
ymhell bell yn ôl,
yn rhy bell i'w amgyffred
cyn bod nos a dydd,
goleuni a thywyllwch
cyn bod ffurfafen a dyfroedd –
nid oedd angen Nadolig.
Nid oedd angen Duw i ddod i'n byd
i'w gymodi ag ef ei hun.
Nid oedd dyn yn bodoli o gwbl.
Ond 'roedd Duw yn bod ymhell bell yn ôl
yn y dechreuad hwnnw.

Yn y dechreuad yr oedd y Gair
a'r gair gyda Duw
a Duw oedd y Gair.
Yr oedd ef yn y dechreuad gyda Duw
a daeth y Gair yn gnawd.

Bellach 'roedd angen Nadolig
ar fyd a wyddai am dywyllwch a nos;
ar fyd a wyddai am drais Herod
a gormes Rhufain.

Preswyliodd y Gair yn ein plith
yn llawn gras a gwirionedd.

Mae angen gras a gwirionedd
Ar fyd sy'n mynnu llygad am lygad
A dant am ddant.

Oes, mae angen y Nadolig arnom o hyd.

Darlleniad: Mathew 2: 13-15
Emyn: 472

MAE GWELL

Da ar Ŵyl y Geni
cael pobl yn ceisio Duw.
Rhagorach
cael Immanuel, Duw gyda ni.

Aur, thus a myrr –
anrhegion ger y preseb.
Gwerthfawrocach
y trysor yn y crud.

Bugeiliaid gyda gofal
yn gwarchod eu praidd liw nos.
Tynerach
gafael Mair o'i phlentyn yn ei chôl.

Disgleirdeb gogoniant llu'r nef
yn goleuo bryniau Bethlehem.
Goleuach
Fflam egwan llusern llety'r anifail.

Rhyfeddod neges yr angylion –

'Gogoniant yn y goruchaf i Dduw,
ac ar y ddaear tangnefedd ymhlith
dynion sydd wrth ei fodd.'

Rhyfeddach
cri'r baban yn cymodi'r byd.

Grym casineb yn cythruddo Herod
a holl Jerwsalem gydag ef.
Grymusach
cariad yr un bychan a ddaeth i'n plith.

Da ar Ŵyl y Geni
cael pobl yn ceisio Duw.
Rhagorach
cael Immanuel, Duw gyda ni.

Darlleniad: Mathew 1: 18-23
Emyn: 452

CYMORTH CRISTNOGOL

Deufis cyn y Nadolig
anfonwyd amlen ac arni eiriau coch
i filoedd lawer drwy y wlad –
neges Gŵyl yr Adfent:
'Credwn mewn byw cyn marw'.
Nid digon dweud wrth blant y Trydydd Byd
fod bywyd yn eu haros sy'n llawer gwell
y tu hwnt i'r bedd.
Ni chafodd y newynog a dioddefwyr *Aids*
y fraint o fywyd llawn
cyn ymadael â'r byd hwn.
Diben yr Adfent yw ein paratoi
i gofio geni Crist.
yr Emmanŵel –
Duw gyda ni.
Pa fodd y medrwn ni fod gyda Duw
os anwybyddwn
'un o'r rhain ei frodyr lleiaf '
sy' eisiau'r hawl i fyw cyn mynd o'r byd?

Darlleniad: Mathew 25: 40
Emyn: 872

Duw drwy'r bendithion

EIN TAD

Mae ynom hen ddymuniad – i dreiddio
Hyd wreiddyn y cread;
Pwy fu'n creu ei ddechreuad?
Onid hwn ydyw ein Tad?

Monallt

'Ein Tad, yr hwn wyt yn y nefoedd' – Pam meddwl amdanat fel tad yn hytrach na mam? 'Roedd 'Abba' – y tad, yn un o hoff enwau Iesu wrth dy gyfarch, ac felly'r salmydd a'r proffwydi o'i flaen.

- Molwch ei enw . . . tad yr amddifad . . . yw Duw yn ei drigfan sanctaidd.
- Fel y mae tad yn tosturio wrth ei blant, felly y tosturia'r Arglwydd wrth y rhai sy'n ei ofni.

Megis y salmydd, felly Eseia dy broffwyd, Arglwydd, fe'th galwodd yn 'Dad tragwyddoldeb'.

Eiriolodd ger dy fron . . . paid ag ymatal rhagom, oherwydd Ti yw ein Tad.

Dywedaist drwy enau un o'th broffwydi: 'Myfi sydd Dad i Israel'. Tad ac nid mam i Israel. Pam tad yn hytrach na mam? Fe'n ganed i gyd o 'fam', hi a'n beichiogodd a'n magu ar ei bron. Ti wyddost, Arglwydd, pan fo plentyn yn wael mai galw am ei fam a wna bob tro. Greddfol yw ein cri mewn poen pan erfyniwn am gysur wrth alw 'mam bach'. Mae'n swnio mor gynnes, yn agos at rywun ac mor naturiol. Ar y llaw arall, byddai'n swnio'n rhyfedd rywsut wrth sôn amdanat fel 'mam tragwyddoldeb' a dweud 'Ein mam, yr hon wyt yn y nefoedd'.

Pe bai'r ferch yn gydradd â'r dynion yng nghyfnod pell y proffwydi a hefyd yn nyddiau Iesu, hwyrach y byddem yn meddwl yn wahanol amdanat Tithau. Fel crëwr a hanfod popeth byw nid wyt na gwrywaidd na benywaidd. Ond gan mai felly y creaist ni, yn wŷr a gwragedd, yn feibion a merched, yn union felly y meddyliwn ninnau ac fe'th alwyd Tithau'n dad i ni oll.

Fel y mae tad yn tosturio wrth ei blant, felly yr wyt Tithau'n tosturio a Thi a'n ceraist â chariad mwy hyd yn oed na chariad mam.

Go brin y byddem eisiau dy gyfarch yn wahanol.

'Ein Tad, yr hwn wyt yn y nefoedd, sancteiddier dy enw.'

Boed ef neu hi, y cariad tragwyddol wyt Ti.

Amen.

Darlleniad: Salm 103: 8-13
Emynau: 197, 156

BEDYDD

Y mae O yma mwyach. – Yn yr act
na fu 'rioed ei symlach
cyfrannwr pob cyfrinach
sy'n arddel y bwndel bach.

Einion Evans

Ein Tad, Tydi a'n gwnaeth ni oll, dy eiddo Di yw popeth byw ac 'rwyt
Tithau ym mhob plentyn bach. Diolchwn felly am y bywyd newydd
sbon sydd yma ger ein bron.

Yr anrheg fwyaf gwerthfawr a gaiff neb yw'r rhodd o fywyd a ddaw
fel baban bach i'n byd. Felly'n union y daethost Tithau gynt i'n plith
fel baban Mair. Yma heddiw yn dy Dŷ, dymuna tad a mam
gyflwyno'u plentyn yn ôl i Ti. Tydi, ein Tad ni oll, yn rhoi dy fendith
ar _____ f/bach er nad yw'n deall dim. Boed iddi/o deimlo
pwysau tyner dy law ar ei ph/ben ar hyd ei b/fywyd.

> Dod ar ei ph/ben dy sanctaidd law
> O Dyner Fab y Dyn
> Mae gennyt fendith i rai bach,
> Fel yn dy oes dy hun.

Bydd gyda _____ ar hyd ei h/oes beth bynnag a ddaw i'w rh/ran.
Pwy ŵyr beth fydd ei hanes – enwogrwydd mawr neu fri? Yr hyn a
ddymunwn ni yw bywyd iach a chyfle oes i'th ogoneddu Di.

Felly, ein Tad, rho nerth i'r rhieni ifanc gyflawni pob adduned a wneir
yma'n awr, fel y daw eu plentyn trwyddynt hwy i deimlo grym dy
gariad Di – y cariad sy'n sylfaen i'w cariad hwy.

Bendithia'r teulu hwn drwy'r bedydd yma yn dy Dŷ ac yn sgîl y
fendith bedyddia ninnau i gyd â'r Ysbryd Glân.

Boed pob aelwyd dan dy wenau
A phob teulu'n deulu Duw;
Rhag pob brad, nefol Dad
Cadw di gartrefi'n gwlad.

Amen.

Darlleniad: Marc 10: 13-16
Emyn: 666

EMYN PRIODAS

Tôn: *Edinburgh*

Yn Dy Ysbryd, aros Arglwydd
Trwy'r briodas gyda ni.
Sanctaidd fydd yr addewidion
Yn Dy gwmni grasol Di,
Cysegredig fydd pob curiad
Yn eu c'lonnau ifanc llon,
Hwythau'n cofio yn feunyddiol
Rin a gwefr yr oedfa hon.

Cofio wnawn am ddyddiau mebyd,
Cofio'r bedydd amser fu,
Cofio plannu'r ddeuddyn annwyl
Yn Dy winllan ddwyfol gu.
Heddiw, gweled ffrwyth y llafur
Dyfodd dan Dy fendith rad,
Hwythau'n dewis rhoi eu hunain
Yn Dy ddwylo Di, O Dad.

Aros felly, Iôr tragwyddol,
Gyda'r ddau ar hyd eu hoes;
Cynnal hwy ym mhob treialon,
Dyro iddynt nawdd Dy groes,
Fel bo'u bywyd fel y blodau
Welir yma'n hardd eu lliw,
Hwythau'n dangos yn eu cariad
Degwch perffaith, Iesu gwiw.

Darlleniad: Cyfarwyddwr Priodas,
William Williams, Pantycelyn

Pan gwnawd y cwlwm yn sicr, mae dolur un fel dolur y llall, a gwynfyd a llawenydd un yn wynfyd a llawenydd i'r llall. Fel hyn yr ydym yn helpu ein gilydd, yn tosturio wrth ein gilydd, yn maddau i'n gilydd, yn amddiffyn ein gilydd, a gwneud y naill a'r llall yn fwy parchedig o flaen y byd, ac yn enwedig yn gweddïo dros ein gilydd. Dyma'r cariad sydd gennym – cariad gwastad, dwfn yw, fel y môr, ac a ddwg feichiau mawrion y naill dros y llall.

Dyma drefn ein bywyd, dyma ddull ein hysbryd, ac 'rwyf yn gobeithio mai fel hyn y byddom byw yn y byd.

EMYN PRIODAS

Tôn: *Stuggart*

Ti, sy'n llywio rhod y ddaear,
  Mae'r tymhorau yn Dy law,
Arwain ddau a unir heddiw
  Fel cânt fyw heb ofn na braw.

Duw y deffro, Grym y Gwanwyn,
  Rho i'r ddeuddyn lawer gwaith
Obaith Ebrill y briallu
  Yn llawenydd ar eu taith.

Llygad haul fo'n gwenu arnynt,
  Llawnder haf fo iddynt hwy,
Rhin Dy gariad Di, O Arglwydd
  Fyddo eu cynhaliaeth mwy.

Pan ddaw hydref a'i arafwch,
  Rhwd ar fynydd, gwaed ar bren,
Bydded iddynt fel y wennol
  Edrych tua thecach nen.

Gwynt y Gogledd ni rydd niwed,
  Diogel rhag pob gelyn llym,
Tawdd y rhew os cânt Dy gwmni;
  Bydd gaeafau yn ddi-rym.

Felly, rho Dy fendith iddynt
  Ymhob tymor trwy eu hoes,
Fel bo blwyddyn gron eu bywyd
  Oll yn eiddo Iesu'r groes.

Darlleniad: 1 Corinthiaid 13: 4-8

DERBYN CYFLAWN AELODAU

Yn y gwasanaeth sacrament olaf a weinyddodd y Parchedig Gareth Maelor, ddydd Sul, Hydref 22, 2006, derbyniodd saith o bobl ifanc yn gyflawn aelodau a hynny ar ôl cyfres o ddosbarthiadau a gynhaliwyd ar y cyd rhyngddo ef a chyn-ddisgybl iddo, Karen Owen. Pan nad oedd yn bresennol yn un o'r dosbarthiadau hyn oherwydd gwaeledd, anfonodd Karen ato adroddiad ar gwestiynau a thrafodaeth y criw ifanc. Y cofnod olaf yn 'Llyfr Lloffa' Gareth yw llun o griw'r dosbarth derbyn ynghyd ag adroddiad Karen a'r myfyrdod sy'n dilyn. Yn rhyfedd iawn, fel y nododd ei hunan ar frig y llun, mae'r Llyfr Lloffa yn cynnwys llun ei ddosbarth derbyn cyntaf yn Harlech ym 1960-1961.

Mae gen i gwestiynau'n cyniwair yn fy meddwl heno. 'Rwyf wedi eu clywed i gyd o'r blaen. 'Rwyf wedi eu gofyn i mi fy hun lawer gwaith o'r blaen. Maen nhw'n cnocio ar ddrws fy meddwl eto heno. Sawl Llŷr a Dafydd ac Ioan a Catrin a Bethan a Catrin Ann ac Angharad sydd wedi gofyn y cwestiynau hyn o'r blaen? Cwestiynau cyfarwydd ers y chwedegau. Cwestiynau cyfarwydd y pedwardegau – degawd fy arddegau i. Cwestiynau cyfarwydd a holwyd yng ngwisg pob degawd a fu ac a fydd.

Beth yw'r cwestiynau hyn? Pa fath o gwestiynau sydd weithiau'n siglo ffydd, sy'n cynhyrfu barn, yn codi amheuon, sy'n gofyn gormod i feidrol ddynion?

Holwch eich hunain:

- 'Ddylen ni gredu pob gair yn y Beibl?
- Oes yna ateb gwyddonol i hanes y creu yn llyfr Genesis?
- Ydi Duw yn cosbi?
- Ydi'r Da Vinci Code yn wir?

'Fydd aelodau pob dosbarth derbyn yn ymateb fel a ganlyn?

- Mae credu pob gair yn y Beibl yn rhan o gred rhai pobl. Rhaid eu parchu.
- Mae'n well gen i feddwl mai symbolau yw'r storïau; mai'r neges sy'n bwysig.

- Mae'r storïau'n ddylanwad gwahanol ar bawb fel Bryn Fôn a'i ganeuon am 'Cadw'r Sabath', 'Yn y Dechreuad', ac 'Yn yr Ardd.'
- Tybed a oes gwreiddyn gwirionedd yn y damhegion a'r storïau fel chwedlau'r mabinogi?

Ai yn y dosbarth derbyn yn unig yr holir y cwestiynau hyn? Ai cwestiynau ydynt a ddaw i'r wyneb dro ar ôl tro i'r un un person yn wyneb profiad neu ddigwyddiad neu gyd-destun personol a ddaw i'w ran? Mae'r *pryd* a'r *pam* yr holir y cwestiynau yn rhoi gwedd a gogwydd o'r newydd i'r holi a'r ymateb. Pryd, tybed, fyddwch chi'n gofyn eto i chi'ch hun:

- Beth ydi pwynt gweddïo os nad oes yna fendio i fod?
- Pam mae'r da yn gorfod dioddef bob tro?
- Sut fodolaeth sydd gennych chi yn y nefoedd?
- 'Ydych chi'n colli'r ochr ddrwg i chi yn y nefoedd?
- Oes rhaid mynd i addoldy i fod yn Gristion?
- 'Ydi'r deg gorchymyn yn addas heddiw?

Pryd y bu cwestiynau tebyg yn cyniwair yn eich meddwl ddiwethaf? Pryd holoch chi'r cwestiynau hyn ddiwethaf? Pan oeddech chi'n blentyn? Holi yn eich arddegau? Holi fel oedolyn? Holi ar ôl colled? Holi ar ôl meddwl yn ddrwg am rywun? Holi ar ôl cenfigennu? Holi am nad ydi oedfa wedi rhoi dim i chi? Holi ar ôl siomedigaeth? Holi ar ôl ysgariad? Holi ar ôl ffrae? Holi mewn rhyfel? Holi mewn gwendid gwaeledd? Sawl gwaith ydych chi wedi'u hail-ofyn a'u haileirio? Waeth beth fo'n hoedran, ein hargyhoeddiad neu'n hamgylchiadau, mae'r holi'n digwydd.

Ydi profiad a phenwynni yn rhoi gwedd a gogwydd newydd i'r cwestiynau? Ydi didwylledd glaslencyndod yn agosach at y gwir? Ydi'r gofyn yn rhoi? Ydi'r curo yn agor? Ydi'r chwilio yn canfod atebion? Pam 'rydym ni'n rhuthro i gael ateb? Pam 'rydym ni'n disgwyl neu'n deisyfu ateb bob tro? Tybed ai yn yr ystyried y daw'r amgyffred?

Mae cwestiwn yn cyniwair yn fy meddwl heno: 'Wyt ti'n fy ngharu i?' Sawl gwaith y clywodd Ef yr atebion: 'Ydw'; 'Weithiau'; 'Ddim yn siŵr'; 'Na'; 'Bob amser'.

Mae'r cwestiwn yn disgwyl y saith yn y dosbarth derbyn fel y deuddeg cyntaf a fu o'u blaen. Y cwestiwn mwyaf un: 'Wyt ti'n fy ngharu i?'

Heno, mae'r cwestiwn yn cyniwair yn fy meddwl. Mae fy ateb yn gwahodd cwestiwn arall: 'Wnes i ei garu ddigon?'

Emyn: 656

Y CYMUN SANCTAIDD

Mae 'na le, fel mewn hen lun, i roi drych
ar draws bwrdd y cymun
i mi fy holi fy hun
a gweled: fi yw'r gelyn.

John Gwilym Jones

Mor wir yw geiriau T. Rowland Hughes mai'r 'bwrdd yw brenin y gegin'. Faint o deuluoedd sydd heddiw'n hamddena o gwmpas bwrdd y gegin? Sawl rhiant a phlentyn sy'n bwyta a gwylio'r teledu'r un pryd? Un llygad ar y sgrin a'r llall ar y llwy. Sawl teulu sy'n bwyta ar y soffa a'r platiau ar eu gliniau a dim lle i'r bwrdd bwyd? Ydi'r bwrdd bwyd yn segur yn eich tŷ chi?

Petai'r amser brecwast neu'r pryd te yn troi'n ddefod deuluol, yna, o bosibl, fe fyddai llai o helyntion teuluol, a thensiwn a thyndra bywyd yn llacio. 'Does unman tebyg i'r bwrdd bwyd i ymlacio a dweud ein dweud a phorthi'r meddwl a'r ysbryd yn ogystal â'r corff.

Oes clust i hanesion plant heddiw am eu byw a'u bod drwy'r dydd? Y bwrdd bwyd yw'r lle gorau i'r teulu flasu cwmni ei gilydd.

Oes gormod o fyrbrydau heddiw, tybed? Y bwyd dau funud di-sawr sy'n llenwi'r stumog dros dro? Y bwyd nad yw'n digoni digon arnom. Mae'n amser i ni ddod yn ôl o amgylch y bwrdd bwyd i'n llenwi a'n bodloni'n iawn gan bryd o sylwedd heb sŵn y popty-ping.

Ar Ŵyl y Pasg mae'n bwysig cofio mai o gwmpas y bwrdd swper y casglodd Iesu Grist ei ddisgyblion at ei gilydd, nid yn unig i fwyta'r bwyd sy'n darfod ond hefyd i wledda ar yr hyn sy'n parhau i dragwyddoldeb.

Yno, yn yr oruwch-ystafell yn nhŷ mam Ioan Marc, o amgylch bwrdd y swper olaf, y bu ffrindiau Iesu yn dystion i Iesu yn cymryd bara, yn ei fendithio, ei dorri a'i rannu ac yna'n ei glywed yn dweud: 'Cymerwch, hwn yw fy nghorff'.

Bwrdd y Swper Olaf yw brenin dodrefn yr eglwys hefyd. Os nad oes gennym amser i hamddena o'i amgylch, i dorri a chymryd bara a rhoi clust i eiriau Iesu, yna fe beidiwn â bod yn aelodau o deulu Duw. Yn y fan hon y mae Duw yn arlwyo bord o'n blaen yng ngŵydd ein gelynion ac yn y fan hon yn unig y bydd ein cwpan yn llawn.

Diolch am y gwahoddiad i ni ddod at Fwrdd Swper ein Harglwydd.

Gweddïwn

Diolchwn i ti ein Tad am yr adeilad arbennig hwn; dy Dŷ Di a'n cartref ysbrydol ninnau.

Diolch i Ti am y bwrdd a welir yma ger ein bron. Bwrdd sy'n fan canolog y bore 'ma ar dy aelwyd.

Diolchwn hefyd fod lle i bawb o bob oed o gylch dy fwrdd Di yn blant ac oedolion. O amgylch y bwrdd hwn, daw dy deulu at ei gilydd i eistedd, i ddiolch, i dorri'r bara ac i gofio.

Bu rhywrai'n paratoi'r bwrdd yn ofalus ar ein cyfer ni heddiw ac yn ei orchuddio â lliain gwyn glân o barch i'r Un a ddywedodd 'Gwnewch hyn er coffa amdanaf'.

Ond er mai dwylo meidrol fu'n gosod y lliain, yn gloywi'r llestri ac yn paratoi'r bara ar ein cyfer, gwyddom mai Ti, Ein Tad, sydd wedi arlwyo'r bwrdd o'n blaen. Dy fwrdd Di ydyw, Bwrdd Sacrament Swper ein Harglwydd.

Diolch i Ti am ein gwahodd i'r wledd ar fore'r Groglith a 'fyddem ni ddim wedi derbyn y gwahoddiad i fwyta o'r bara ac yfed o'r gwin oni bai dy fod Ti gyda ni.

Diolch dy fod bob amser yn bresennol wrth y bwrdd hwn. Ein braint ninnau yw cael eistedd o'i gylch a Thithau yn ein plith yn rhoi dy fendith arnom.

Yn union fel plant yn dweud gras bwyd mewn ysgol a hefyd, gobeithio o gwmpas byrddau bwyd ein cartrefi, dywedwn ninnau hefyd

> O! Dad, yn deulu dedwydd – y deuwn
> Â diolch o newydd.

Bydd wrth y bwrdd, a gad i'n wledda gyda Thi –

> Dy gariad Di dy hun yw'r wledd –
> Ni welwyd cariad mwy.

Clyw ein gweddi, ein Tad, yn enw'r un a wnaeth hyn yn bosibl, yn enw ac yn haeddiant Iesu Grist, ein Harglwydd.

Amen.

Darlleniad: Luc 22: 14, 17-20
Emyn: 653

YR AMEN

Moli'n Duw, moli'n dawel, – yn ddi-hwyl
Ar ddeulin mewn capel;
Hen rai swrth heb fawr o sêl
I amenio ym Mheniel.

J. Pinion Jones

Ein Tad, 'felly mae' neu 'felly bo' – defnyddiwn sawl gair heb ei ddeall ac eto maent mor gyfarwydd – 'hosanna,' 'haleliwia' neu'r 'amen.' Defnyddiwn 'amen' weithiau i gyfleu bod rhywbeth yn ein plesio neu i gytuno gant y cant â safbwynt eraill. Ond pam y dywedwn ni 'amen' wrth siarad gyda Thi? Beth yw ystyr dy 'amen' Di? 'Yn wir, yn wir,' dyna'r ystyr neu 'felly y mae' neu 'felly y bo.'

Ein Tad, diolch am air syml fel yr 'amen' i gadarnhau rhyw wirionedd mai dyma graidd y gwir ac mai 'felly y mae' ac 'felly y bo.'

Gynt, 'roedd porthwyr pregethwyr yn amenio dy air, yn llafarganu'r 'amen' a'i ailadrodd yn dragywydd. Ond mae eraill yn amenio'n ddistaw yn y galon. Diolch i Ti fod rhywrai'n gwrando a rhywrai fel Samiwel yn clywed dy lais a rhai yn ymateb yn dawel, ddigyffro heb orfod amenio a phorthi ar goedd.

Ond pan ddaw'r amen yn naturiol, ddiymdrech, mae'n hwb i galon y sawl sy'n cyhoeddi dy Air a'r Gair a gyhoeddir wedyn yn cynhesu calon y sawl sy'n amenio'r Gair.

Yn wir, yn wir, os felly y mae – boed yr amen i'w glywed ar goedd neu'n dawel yn y galon, yna, felly y bo.

Amen.

Emyn: 245

Duw drwy ffydd

SIWRNE CLAF A'R YMWELYDD MEWN YSBYTY

Oes canolfan caplaniaeth yn eich ysbyty lleol chi? Oes arwydd 'Canolfan y Gaplaniaeth' ymysg enwau'r wardiau a'r ystafelloedd triniaethau? Os oes, chwiliwch am eich ffordd yno ymhlith y warin wardiau ac yng nghanol y milltiroedd o goridorau. Mae'n fan disgwyl, mae'n fan oedi gwahanol i'r cilfachau aros arferol mewn ysbyty. Pan ydych yn cychwyn eich siwrne am y tro cyntaf mewn 'sbyty fel claf neu ymwelydd, gall fod yn siwrne annisgwyl a dieithr. Dro arall, gall fod yn siwrne gyfarwydd nes eich bod wedi hen arfer â'i throedio, nes eich bod yn deall goblygiadau drysau'r theatr, nes eich bod yn gallu darllen wyneb meddyg neu ddeall arwyddocâd symud o ofal un ward i ofal ward arall. Os ydych yn glaf o'r newydd neu'n glaf hen law ac os ydych yn ddigon da'n gorfforol, ewch i chwilio am ganolfan y gaplaniaeth neu ewch yno dan ofal eich câr, plant, rhieni, ffrind, cymydog, porthor neu gaplan. A phan gyrhaeddwch chi, ac os capelwr i'r carn ydych chi, mae'r ganolfan yn gapel i chi. Os eglwyswr rhonc ydych chi, mae'r ganolfan yn eglwys i chi. Os Mwslim ydych chi, yna mae'r ganolfan yn fosg i chi. Os Hindŵ ydych chi, yna mae'r ganolfan yn deml i chi.

Beth bynnag fo'ch cred, mae'r ganolfan yno i ddiwallu gofal ysbrydol. Boed chi'n Gristion, yn Fwslim, yn Gatholig, yn eglwyswr, yn ddyngarwr, yna efallai y byddwch yno i ddathlu un o'ch gwyliau crefyddol.

100

Efallai y byddwch yno i orfoleddu eich bod yn iach unwaith eto.

Efallai y byddwch yno i werthfawrogi diwrnod arall gyda'ch teulu.

Efallai y byddwch yno yn dad neu'n fam yn holi pam.

Efallai y byddwch yno'n bryderus cyn llawdriniaeth.

Efallai y byddwch yno'n anobeithio wrth wella dim.

Efallai y byddwch yno'n llawen fel rhieni newydd.

Efallai y byddwch yno'n anniddig a blin yn deisyfu atebion.

Efallai y byddwch yno'n ddiolchgar ar ôl mendio.

Efallai y byddwch yno, fel fi, yn ymbaratoi ar gyfer siwrne ysbrydol newydd.

Felly, ar eich siwrne fel claf neu ymwelydd, galwch heibio'r ganolfan. Chi yn unig a ŵyr beth yw diben eich siwrne. 'Chefais i ddim siwrne wag.

Emyn: 807

CANOLFAN Y GAPLANIAETH, YSBYTY GWYNEDD

'Welwch chi o'ch blaen y tair ffenestr liw sy'n falm i'r llygaid? Tair ffenestr liw ac arnynt ddwy golomen, un yn esgyn a'r llall yn disgyn a chroes syml rhyngddynt yn gwahodd myfyrdod. 'Welwch chi gornel ddiaddurn y Mwslim? 'Welwch chi'r arteffact ar y mur sy'n cario grym ysbrydol i'r sawl sy'n ei adnabod a'i ddeall? 'Welwch chi gadeiriau addolwyr a gasglwyd gan arian gwirfoddolwyr? 'Welwch chi'r Crist cerfiedig pren ger y drws a phlygiadau glin a gwedd y dyrfa o'i gwmpas yn cyfleu'u hymbil am iachâd a llesâd? 'Welwch chi'r llyfrau yn yr arddangosfeydd gwydr ac ynddynt eneidiau o dudalennau yn enwau babanod a phlant bychain a ddaeth ato Ef?

'Synhwyrwch chi sancteiddrwydd y symbolau?

'Glywch chi dangnefedd pob ffydd yn y tawelwch?

'Deimlwch chi bryder, ofn, ymbil, llawenydd, eiriolaeth, anobaith a gobaith pob claf a'i gâr, meddyg a nyrs, rhiant a phlentyn a ffrind ac ymwelydd a ddaw yma?

'Welwch chi? 'Glywch chi? 'Synhwyrwch chi? 'Deimlwch chi?

Dim ond chi a wêl liw eich enfys ysbrydol. Ceisiwch hi – mae'r enfys yma gyda'ch glaw, gyda'ch hindda.

Emynau: 601, 600

Y RHAI SY'N GWEINI AR Y CLAF

NYRS YN Y CARTREF

Yn fy nghornel, awel iach – ydyw gweld
Ei gwedd na bu'i mwynach
Ar aelwyd, na siriolach
Ymweliadau'n berlau bach.

Emrys Roberts

Diolchwn i Ti'n awr, O Dduw, am lu'r nef sy'n gweini ar ein daear ni.
Nid oes i'r engyl hyn wawl o'u tu, ac er eu bod yn mynd a dod ar
alwad pawb, nid hedfan a wnânt hwy. Er perthyn ohonynt i'th nefol
lys, mae traed y cyfryw rai, heb os nac oni bai, yn soled ar bridd y
ddaear hon. Ac er mai Ti a'u rhoddodd hwy i ni, mae pob un ohonynt
hwy yn un ohonom ni, daearol rai'n cyflawni dy ewyllys Di. Yn
wahanol i'r rhan fwyaf ohonom ni, beth bynnag fo ein gwaith, mae
rheidrwydd arnynt hwy i wasanaethu ddydd a nos ac mae eu
hwythnos waith yn hwy na'n hwythnos ni.

Mynych y gelwir arnynt gan ambell glaf nad yw'n sylweddoli – neu
efallai ei fod – nad ef yw'r unig un sy'n wael. Ni sylweddolir 'chwaith
mai dim ond un pâr o ddwylo sydd gan yr engyl hyn er mynych yw
ein cri yn ceisio'u sylw hwy.

Felly, diolchwn i Ti, Arglwydd da, am eu gwasanaeth maith i ni, boed
hynny yn oriau'r dydd neu'r nos. Boed inni gofio na chaniatâ
amodau gwaith awr ginio iddynt hwy. Llyncu pryd a wneir ac yna'n
ôl i'r ward ar frys. Ni sylweddola'r cyhoedd iach, O Dduw, eu bod yn
gweithio o dan amodau caeth. Rhaid mynd i'r 'sbyty'n glaf i
sylweddoli hynny. Prin yw eu rhif a phrinnach y geiniog i'w cynnal
hwy. Arglwydd, arwain y rhai sy'n llywodraethu i fuddsoddi punt y
dreth yn ddoethach ac yn well, fel y bo'u gwerthoedd a'u
blaenoriaeth o les a budd i ysbytai ein gwlad.

Ai dall neu ddi-hid yr ydym, Arglwydd, i anghenion iechyd gwlad?
Nid felly hwy uwch erchwyn gwely'r claf. Rhydd y rhain wasanaeth

gyda gwên. Cysegrant sgil a dawn, a dengys tynerwch a chadernid llaw eu gofal mawr am y gwan a'r gwael.

Diolch, Arglwydd, am y llu sy'n gweithio yn ysbytai ein gwlad dan amgylchiadau caeth, annheg, heb anghofio'r rhai sy'n mynd a dod o dŷ i dŷ ymhob rhyw dywydd. Mawr eu gofal o'r claf ar ei aelwyd ei hun. Amdanynt oll, diolchwn ni, a gŵyr y sawl fu'n glaf, a than eu gofal, mai galwedigaeth ac nid gwaith a gyflawnant hwy.

Diolch i Ti, Arglwydd da, am lu'r nef sy'n gweini ar ein daear ni.

Amen.

Darlleniad: Luc 5: 17-20
Emyn: 823

CEISIO FFYDD

CADWYN O ADNODAU

Marc 9: 24
'Athro, mi ddois i â'm mab atat, y mae wedi ei feddiannu gan ysbryd mud . . . Os yw'n bosibl i Ti wneud rhywbeth, tosturia wrthym a helpa ni.' Dywedodd Iesu wrtho, 'Os yw'n bosibl! Y mae popeth yn bosibl i'r hwn sydd â ffydd ganddo'. Ar unwaith gwaeddodd tad y plentyn, 'Y mae gennyf fi ffydd; helpa di fy niffyg ffydd'.

Rhufeiniaid 14: 1
'Derbyniwch i'ch plith y dyn sy'n wan ei ffydd.'

Dafydd William (Emyn 729)
'Anghrediniaeth, gad fi'n llonydd . . .
'Chydig ffydd, ble'r wyt ti'n llechu?'

Luc 17: 5
Meddai'r apostolion wrth yr Arglwydd, 'Dyro i ni ffydd'. Ac meddai'r Arglwydd, 'Pe bai gennych ffydd gymaint â hedyn mwstard, fe allech ddweud wrth y forwydden hon, "Coder dy wreiddiau a phlanner di yn y môr", a byddai'n ufuddhau i chwi'.

Ecclesiasticus 35: 14
Ym mreichiau gweddi mae ffeindio ffydd.
'Ni ddiystyra efe ddeisyfiad yr amddifad na'r weddw, pan dywallto hi ei gweddi.'

*   *   *

WYNEBU TRAGWYDDOLDEB

Ni allodd neb erioed
wynebu tragwyddoldeb
heb wrid euogrwydd ar ei rudd;
na syllu ar yr anweladwy Un
heb gywilydd yn ei drem.
Ni cherddodd yr un dyn
y tu hwnt i'r llen
heb faglu a chael camau gwag –
ond Un, yr unig Un
nad oedd angen iddo gyffesu bai
a phrofi'i ffydd.
Yng nghysgod hwn
Ac ufuddhau i'r 'Dilyn fi'
mae mynd ymlaen
i'r tragwyddoldeb mawr.

*   *   *

GOLLWNG GAFAEL

Pan fo baban yn gollwng gafael –
　'Welwch chi ei sigl ansad?
　'Deimlwch chi sicrwydd gwadn ei droed?

Pan fo mam yn gollwng gofal –
　'Welwch chi wacter ei chôl?
　'Deimlwch chi lawnder ei chalon?

Pan fo tad yn cyflwyno'r briodferch –
　'Welwch chi freuder y gollwng?
　'Deimlwch chi gadernid y rhoi?

Pan welwch chi'r 'cnawd yn tycio dim'[1]:
　teimlwch yr ysbryd 'sy'n aros ynoch'[2]
　a gollyngwch fi.

[1]: Ioan 6: 63;　[2]: 1 Ioan 2: 24-25

*   *   *

Mae math o ffenest
Na welir ond un ffordd drwyddi.
Ni welwn ni sydd allan
Y rhai sydd oddi mewn
Ond gwelant hwy nyni.
Nyni, y rhai sydd allan
Ymlawenhawn –
Maent oll yn ein gwarchod ni.

*　　*　　*

AGOSRWYDD ABSENOLDEB

Nid gwacter glas yw'r awyr glir uwchben;
nid gwagle di-ben-draw mo'r gofod maith;
nid noeth a llwm canghennau'r fedwen arian 'chwaith
yn dilyn cwymp y dail.

Mae bywyn dirgel yn y pren a gobaith ymhob egin cudd.
Ceir ffrwydradau heuliau nas gwelwn ni'n dirgrynu
eangderau'r cread o awr i awr.

Canwaith mwy yw cyffro llonydd y Trydydd Dydd
ac agosatrwydd holl bresennol y bedd gwag.
Yno'n ei absenoldeb mae grym yr atgyfodiad
a blagur anweledig pob gwanwyn ddaw.

*　　*　　*

Myfyrdod i Gloi

'FFRWYTH GWEDDI YW FFYDD'

Symledd naturiol gweddi – yw dy lwybr
Di o labrinth perthi
Y drain ac o drueni
Du'n hoes a'n cymhlethdod ni.

Emrys Roberts

Disgrifiodd y Fam Teresa ei hun fel 'pensel Duw'. Dyma beth a ysgrifennwyd gan y 'bensel' hon:

Llwybr syml a chwe cham sy'n arwain at Dduw;
Llefara, Dduw, drwy dawelwch y galon;
a ffrwyth y tawelwch yw gweddi;
ffrwyth gweddi yw ffydd;
ffrwyth ffydd yw cariad;
ffrwyth cariad yw gwasanaeth
a ffrwyth gwasanaeth yw tangnefedd.

Ein Tad, sut y medrwn dy gyflwyno i eraill os nad wyt ynom ni? Felly, deuwn a cherddwn y 'llwybr syml' atat – llwybr tawelwch a gweddi sy'n arwain at ffydd, cariad, gwasanaeth a'th dangnefedd Di.

Ond mae sŵn ym mhobman yn ceisio boddi dy lais. Sŵn byddarol ein hoes brysur yn dangos bod ofn tawelwch arnom ni. Rhaid i ni wrth radio a DVD a theledu a dwndwr trafnidiaeth a thref.

Cofiwn yng nghanol y dwndwr fod y 'llwybr syml' gennym i gyd. Llwybr tawelwch, tawelwch cadeirlan y galon sy'n ynys o hedd yng nghanol sŵn y byd.

Awn o gam i gam nes derbyn dy dangnefedd Di ac o'i gael daw eraill i'th adnabod ynom ni.

Amen.

Emynau: 781, 502